Série Harmonie

KRISTIN JAMES

Feux secrets

Les livres que votre cœur attend

Chapitre 1

Confortablement installée dans un fauteuil de jardin, Stéphanie buvait une tasse de café. Des brumes de chaleur miroitaient au pied des montagnes désertiques qui entourent Phoenix et la vallée de la rivière Salée. Dans cette région aride de l'Arizona, surnommée à juste titre la vallée du soleil, il est courant que la température dépasse quarante degrés dès le mois de juin. Voulant éviter le plus fort de la chaleur, Stéphanie avait pris rendez-vous avec Howard Perry à neuf heures et demie du matin.

Elle était inquiète. Pourquoi lui avait-il demandé de venir ? Il allait lui proposer un plan de retraite ou une indemnité pour Tim. Peut-être même lui faire signer une déclaration ôtant toute responsabilité à l'équipe dans la mort de Tim. Howard Perry, esprit froid et calculateur, en était bien capable pour protéger ses intérêts.

Tim l'avait toujours mise en garde contre lui. Elle se souvenait combien il redoutait la négociation de ses nouveaux contrats : Howard s'y montrait d'une âpreté féroce. Leurs rapports s'étaient toujours limités à une cordialité forcée. Mais comment aurait-il pu en être autrement ? Leurs caractères étaient si différents.

Stéphanie se ressaisit. Il n'était pas question qu'Howard Perry vienne troubler son havre de paix. Elle promena son regard autour d'elle. De hauts massifs de lauriers-roses ombrageaient le jardin et l'isolaient naturellement des maisons voisines. Des iris multicolores composaient un parterre chatoyant. Elle contempla un instant la piscine, minuscule rectangle bleu, puis admira le feuillage des citronniers qui se découvrait parfaitement sur le mur blanchi à la chaux de son bureau.

Elle n'y avait pas travaillé depuis des semaines... Stéphanie se leva d'un bond. Mieux valait qu'elle se prépare plutôt que de remuer des pensées aussi moroses. Elle rapporta le plateau de son petit déjeuner dans la cuisine et alla dans sa chambre.

Après la mort de Tim, ne supportant plus leur grande demeure vide, elle avait cherché un autre endroit où s'installer. Le charme un peu désuet de cette maison mexicaine l'avait immédiatement conquise. Ces murs étaient chargés d'histoire. Un couple de retraités y avait vécu en harmonie pendant vingt ans et il y régnait une atmosphère chaleureuse, réconfortante. Stéphanie n'avait jamais regretté d'avoir emménagé là et elle avait transformé la maisonnette au fond du jardin en bureau, où elle pouvait travailler en toute tranquillité.

Stéphanie ôta prestement sa robe d'hôtesse et choisit pour recevoir son visiteur un ensemble en voile de coton bleu pâle. Une chaîne d'argent et des boucles d'oreilles assorties complétèrent sa tenue. Elle glissa à ses pieds une paire de sandales de cuir blanches à talons plats et se rendit dans la salle de bains. Elle se maquilla légèrement, brossa soigneusement ses cheveux aux reflets cuivrés et les retint en arrière par deux peignes d'écaille véritable.

Il émanait d'elle une élégance innée qui suscitait l'admiration partout où elle paraissait. Elle n'était pas d'une beauté parfaite, mais la finesse de ses traits mobiles lui prêtait un charme particulier, accentué par l'éclat de ses grands yeux gris-bleu.

Elle s'observa dans le miroir et se trouva élégante. Elle alla chercher son sac à main et sortit. Elle se dirigea vers le nord de la ville. Les aiguilles de la montre sur le tableau de bord approchaient insensiblement de neuf heures et demie. Stéphanie sentait son anxiété croître.

Parvenue aux locaux administratifs de l'équipe, elle passa le contrôle du parking et gara sa voiture. Armée de tout son courage, elle sortit et marcha dignement vers l'immeuble de verre, étincelant sous le soleil.

Dans le hall luxueux, une épaisse moquette étouffa totalement le bruit de ses pas. Aux murs, des tableaux aux tons chauds rappelaient les couleurs de l'équipe des Arizona Apaches. Les frères Ingram, fondateurs de l'équipe, n'avaient reculé devant aucune dépense. Disposant au départ d'un modeste héritage, ils avaient bâti un gigantesque empire touristique qui s'étendait au-delà des limites de l'Arizona. Fortune faite, ils réalisèrent un de leurs plus vieux rêves : fonder une équipe de football. Ils allièrent leur talent à de gros moyens, s'entourèrent d'hommes d'expérience et formèrent une équipe solide et performante. Moins de quatre ans plus tard, les Arizona Apaches remportaient le championnat et, l'année suivante, la supercoupe.

Elle ne rencontra pas un seul visage familier dans le hall. L'ascenseur la conduisit au dernier étage où siégeait la direction. Une secrétaire stylée la fit entrer dans le bureau d'Howard Perry. Il l'accueillit avec un sourire amical, savamment calculé.

— Stéphanie, comme je suis heureux de vous revoir. Comment allez-vous, ma chère ?

— Très bien, et vous-même ?

— Très bien, malgré l'absence de ma femme et des enfants, qui sont partis rendre visite à mes beaux-parents.

Elle fit semblant d'être intéressée par la nouvelle.

— Comme ils doivent être contents !

— Mais asseyez-vous donc !

Il marqua un temps puis reprit :

— Stéphanie, j'irai droit au but. Nous avons lancé un projet qui devrait vous plaire.

— Me plaire ? répéta Stéphanie, interdite.

— Mais oui. L'association des femmes de footballeurs a collecté des fonds pour une fondation à la mémoire de Tim.

Le visage de Stéphanie s'éclaira d'un large sourire. Mais pourquoi Howard Perry s'occupait-il soudain de bonnes œuvres ?

— Grâce aux talents d'organisatrice de Karen Randall et à la bonne volonté générale, l'association a réuni soixante-dix mille dollars en un an. Russell et Wilfrid Ingram ont doublé la somme, de quoi donner une base solide à la fondation pour le cancer Timothy Tyler.

— C'est merveilleux. Je n'aurais jamais cru qu'on arriverait à une somme pareille !

Howard Perry jubilait visiblement.

— Les frères Ingram savent être généreux quand il le faut. Et la mort de Tim les a beaucoup affectés.

La décence empêcha Stéphanie de répliquer qu'ils regrettaient surtout la perte d'un joueur d'élite.

— L'argent sera versé à l'hôpital Saint-Antoine, au mois d'août, à l'occasion d'une cérémonie qui aura lieu pendant la mi-temps du premier match amical de la saison. Nous avons pensé qu'en votre qualité de veuve, il fallait que ce soit vous qui dévoiliez la plaque commémorative de la fondation.

Stéphanie avait enfin compris. Il voulait profiter de la cérémonie pour faire de la publicité gratuite à son équipe.

— Barbara Lang est chargée de toute la coordination ; son bureau se mettra en contact avec vous.

— Je n'ai pas dit que j'étais d'accord.

— Comment ?

— Je ne suis pas d'accord et, pour être franche, je trouve odieux d'utiliser la mort de Tim à des fins commerciales.

— Comment pouvez-vous penser une chose pareille ? Tim et moi avions nos différends, mais je le respectais sur le plan personnel comme sur le plan professionnel.

— Vous le respectiez en tant que joueur mais que saviez-vous de lui ? Vous ne connaissiez rien de ses angoisses. C'est à vous seul que le jeu profite ! Les joueurs donnent le meilleur d'eux-mêmes et ne récoltent que des fractures.

— Ils gagnent aussi beaucoup d'argent !

— Vous n'avez que ce mot-là à la bouche ! Bien sûr, ils en gagnent énormément, mais ils n'ont pas le choix. Le football est la seule chose qu'ils connaissent.

— Vous savez bien que la plupart adorent jouer.

— Oui, au point de faire n'importe quoi pour retourner sur le terrain au détriment de leur santé. Dieu sait que j'en ai vu, des anciens joueurs : à quarante ans, ils ont l'air de vieillards ; ils ont les articulations bloquées, ils boitent...

Il lui coupa vivement la parole.

— C'est vrai que quand vous avez écrit votre livre sur le football vous avez vu pas mal de grincheux.

— J'en ai appris bien plus en partageant la vie de Tim ! répondit Stéphanie d'un ton cassant.

— Timothy Tyler était un joueur hors pair. Il était brillant, séduisant mais profondément lunatique, toujours prêt à exagérer les mauvais côtés du football. Je l'ai vu aussi avant les matchs : un vrai paquet de nerfs ; mais c'était sa façon de se préparer psychologiquement.

Stéphanie s'efforça de conserver son calme.

— Je crois qu'il est inutile de continuer cette conversation mais, quoi qu'il en soit, ne comptez pas sur moi. L'association est libre de faire don de l'argent à l'hôpital comme bon lui semble mais, en tout cas, je refuse formellement de m'associer à cette cérémonie.

Elle se leva et ajouta d'une voix sèche :

— Je suis désolée de m'être emportée ainsi.

Il laissa échapper un éclat de rire.

— Mais ma chère, j'ai entendu bien pire entre ces quatre murs. J'espère seulement que vous réfléchirez.

— C'est tout réfléchi.

Stéphanie sortit et referma la porte capitonnée avec précaution. Elle était sous le coup de la colère et ses jambes vacillaient un peu.

Comme c'est étrange... pensa-t-elle. Elle auparavant si calme, si mesurée, perdait très souvent son sang-froid depuis que Tim était mort.

Howard Perry secoua la tête d'un air sombre et appela sa secrétaire à l'interphone.

— Oui, monsieur ?

— Trouvez-moi Neil Moran. Il faut absolument que je lui parle.

En quittant l'immeuble, elle jeta un regard pensif sur les montagnes, au loin. Et si elle allait voir Neil ? Elle se ravisa : il avait beau être un très bon ami, elle ne voulait plus lui infliger le spectacle de sa détresse. Elle avait mené sa barque seule ces derniers mois, et il fallait qu'elle continue.

Elle prit le chemin du retour. Un flot de souvenirs envahit ses pensées. Elle se souvint brusquement du jour où le médecin lui avait parlé. Il l'avait prise à part dans une grande salle de consultation toute blanche, encombrée de matériel médical, l'avait invitée à s'asseoir sur un petit tabouret puis s'était installé dans un grand fauteuil de consultation. En la dévisageant d'un air grave, il s'était adressé à elle en ces termes :

— Madame Tyler, nous venons d'examiner le cerveau de votre mari au scanner. Il est atteint d'une tumeur maligne.

Sous le choc, Stéphanie fixait le médecin sans le voir, incapable de parler. Alors qu'il commentait son diagnostic comme si de rien n'était, le sang monta au visage de Stéphanie. Comment pouvait-il parler posément de la tumeur au cerveau de Tim ? Ne voyait-il pas qu'une vie humaine était en jeu ? Il dut noter son trouble car il lui prit le bras.

— Vous voulez prévenir quelqu'un ? Vos parents ou les siens ?

— Non, mes parents sont en Californie et la mère de Tim ne sait rien, je ne voulais pas l'inquiéter... Sa voix s'étouffa.

— Un ami, alors ?

— Oui... Je voudrais appeler Neil.

— Laissez, une infirmière va le faire.

— Non, j'y vais.

Elle marcha comme un automate jusqu'à la chambre de Tim. Il gisait sur le lit, inconscient, et une multitude de tubes envahissaient ses bras et son visage. Elle chercha de la monnaie et descendit téléphoner dans le hall. Elle préférait ne pas utiliser le téléphone de la chambre pour annoncer une telle nouvelle. L'ironie du sort avait fait que Neil n'était pas venu à l'hôpital ce jour-là. Sa gorge se serra quand elle entendit sa voix au bout du fil.

— Neil, dit-elle dans un souffle.

— C'est vous, Stéphanie ? Que se passe-t-il ?

Elle éclaircit sa voix.

— Pouvez-vous venir tout de suite ? Tim a une tumeur au cerveau...

— Je viens, Stéphanie.

Il arriva comme un fou quelques minutes plus tard. Le menton volontaire, le visage empreint d'une froide détermination, on aurait cru qu'il disputait un match, mais Stéphanie remarqua ses yeux agrandis par l'inquiétude.

Elle se précipita dans ses bras puissants et éclata en larmes. Il lui caressa doucement les cheveux. Pendant un instant, elle oublia tout, mais la réalité revint la frapper de plein fouet.

— Neil, le médecin est là. Vous voulez le voir ?

Il fit signe que oui.

Le praticien n'avait pas quitté la salle de consultation. Il commenta son diagnostic pour Neil mais celui-ci l'interrompit brusquement.

— Est-ce que Tim va mourir ?

Le médecin poussa un profond soupir.

— Cette tumeur est profondément implantée, ce qui, habituellement, exclut de recourir à la chirurgie. Seul un neurochirurgien pourra répondre à votre question mais je crains malheureusement qu'on ne puisse opérer.

— Oh ! Mon Dieu !

Stéphanie fut saisie d'une brusque envie de vomir. Neil la soutint et lui dit d'un ton protecteur :

— Il vaudrait mieux que vous nous laissiez. Vous ne voulez pas aller dans la chambre de Tim ?

Elle lui adressa un faible sourire.

— Je préfère rester, je suis plus forte que vous ne le croyez.

Neil interrogea le médecin avec animosité.

— Quand verra-t-il le neurochirurgien ?

— Dès qu'il sera transféré à l'hôpital Saint-Joseph. Il sera examiné par l'un des meilleurs spécialistes de l'Arizona.

— C'est tout dire ! Notre Etat est réputé pour être mal équipé du point de vue médical, répliqua Neil, sarcastique.

Le médecin se défendit avec véhémence.

— C'est l'un des plus grands neurochirurgiens de tout le pays, et, sans vouloir vous donner de faux espoirs, M. Tyler est un homme jeune, résistant : il devrait bien supporter l'opération, si elle est envisageable.

Le visage crispé, Neil arpentait la pièce. Comme Tim, c'était un battant qui n'acceptait pas facilement la défaite.

Sa voix monta de plusieurs tons.

— Comment se fait-il que vous ayez contrôlé sa vue, ses sinus, son diabète, que sais-je encore, et qu'il vous ait fallu tant de temps pour faire ce diagnostic ?

— Les tumeurs cérébrales n'ont pas de symptômes cliniques précis.

— Il est inutile d'accuser l'hôpital, Neil. Le médecin de l'équipe avait aussi pensé à tout, sauf à cela, ajouta Stéphanie, effondrée.

Neil se radoucit.

— Je suis désolé, Stéphanie, mais c'est si difficile à admettre.

Ils allèrent dans la chambre de Tim et s'y attardèrent sans parler. Puis Neil la raccompagna chez elle et elle lui demanda d'une petite voix :

— Voulez-vous rester un peu avec moi ? J'ai si peur...

Elle prépara du café et ils parlèrent d'eux, de leur passé. Mais la conversation revint insensiblement sur Tim. Les rires de Stéphanie devinrent alors des sanglots.

— Neil, que vais-je devenir s'il meurt ?

— Ne vous tourmentez pas, Stéphanie, il va survivre.

Mais Neil s'était trompé. Le diagnostic du neurochirurgien tomba comme un verdict : il était trop tard pour opérer. Russell Ingram fit même venir un expert de Californie mais il ne put que confirmer le diagnostic déjà établi.

Grâce à la chimiothérapie, Tim vécut encore trois semaines. On le ramena chez lui mais il n'avait plus vraiment conscience de ce qui l'entourait. Il lui arrivait même de ne plus reconnaître Stéphanie. Elle était avec Neil à son chevet quand il poussa son dernier soupir.

Depuis que Tim était revenu de l'hôpital, Neil ne l'avait plus quitté. D'ailleurs, même quand la maladie avait rendu Tim irritable, désagréable et parfois violent, Neil ne l'avait pas abandonné. Leurs différences de caractère ne les avaient jamais empêchés d'être les meilleurs amis du monde.

Tim passait son temps à rire ; il aimait séduire, surprendre ses amis et son public. Son goût du risque et son jeu instinctif en faisaient un très grand joueur. Neil, sans manquer d'humour, était moins fantasque. Il émanait de lui une force tranquille, faite d'équilibre et de maîtrise. En mettant son intelligence au service de son jeu, il se montrait supérieur à bien des joueurs tout en muscles.

Neil s'occupa de toutes les formalités de l'enterrement et réussit à tenir à l'écart de Stéphanie la presse à sensation et les admirateurs de Tim. C'est à lui qu'elle confia toutes ses peines sans se rendre compte qu'il souffrait lui aussi de la perte de son meilleur ami.

Absorbée par ses souvenirs, Stéphanie avait conduit machinalement et la vue de sa maison la ramena soudain à la réalité. Elle gara sa voiture dans l'allée et resta assise au volant. Sa conversation avec Howard Perry avait ravivé le passé et son cœur se serra quand elle se remémora le jour où elle avait rencontré Tim.

Elle était allée l'interviewer chez lui pour son livre sur le football. Dès qu'il était apparu dans l'embrasure de la porte, elle avait été subjuguée par ses yeux bleu d'azur, ses cheveux blonds qui captaient la lumière et son irrésistible sourire espiègle. Il avait instantanément posé sur elle un regard admiratif.

— Si j'avais su, il y a longtemps que je vous aurais accordé cette interview !

Il l'invita à dîner le soir même ; elle tomba amoureuse et, deux mois plus tard, ils étaient mariés.

Le front posé sur le volant, Stéphanie sentait ses larmes couler lentement sur ses joues. Elle n'arrivait pas à chasser la vision terrifiante de Tim, le teint livide sur son lit d'hôpital, les doigts agités de contractions nerveuses. Elle éclata en sanglots et pleura longtemps son bonheur perdu.

Chapitre 2

Avec une extrême lenteur, Neil Moran enchaînait des mouvements de flexion et d'extension du bras droit. De grosses gouttes de sueur perlaient sur son visage et plaquaient ses cheveux sur son front. Il reposa les poids sur leur support ; un profond soupir s'échappa de sa poitrine. Il s'affala sur le banc de la salle de musculation et laissa tomber sa tête en avant. D'un geste habituel, il glissa une serviette autour de sa nuque et s'épongea le visage.

Ses efforts avaient été payants. Après de longues hésitations, il s'était fait opérer du coude. Son bras, sans être totalement immobilisé, n'avait pu supporter aucune tension pendant plusieurs semaines. Il avait enduré une véritable torture mentale car il lui semblait que ses muscles s'atrophiaient de jour en jour. Mais rapidement, Hal Minter, l'entraîneur en chef, lui avait fait suivre des séances de rééducation. A force de patience et de travail, il n'éprouvait plus aucune douleur, tant qu'il ne forçait pas trop. Neil Moran savait maîtriser ses mouvements aussi bien que ses émotions ; ce qui avait fait de lui l'un des plus redoutables quarts arrière de sa ligue. Il était rare que la douleur, l'anxiété ou la fatigue affectent son jeu. Sa formidable capacité de concentration et son calme inébranlable lui avaient valu d'être qualifié par un journaliste sportif de « robot électronique parmi les joueurs de football ».

Mais s'il avait consacré toute son énergie à la

rééducation de son coude, seule l'épreuve d'un vrai match pourrait lui apporter la certitude d'être guéri. Encore que, dans ce domaine, il n'existait pas de garanties éternelles. Neil gardait gravée dans la mémoire l'image de Len Franklin, le jour où on avait dû l'évacuer en milieu de partie. Sa jambe droite pendait, inerte et, sur son visage déformé par la douleur, on pouvait lire une profonde détresse. Il savait déjà que sa blessure au genou mettait un terme définitif à sa carrière, car c'était la troisième fois qu'il était blessé au même endroit.

Neil quitta la salle de musculation et sentit avec soulagement la fraîcheur du carrelage du hall sous ses pieds. Il fit coulisser la porte-fenêtre donnant sur la salle d'eau équipée d'une très moderne baignoire de massage et de relaxation. Une vague de chaleur le submergea. Il avait ouvert l'eau avant de commencer ses exercices et le bain était fin prêt. De grosses bulles montaient régulièrement à la surface et formaient des dessins concentriques presque parfaits. Il entra dans le bain bouillonnant et massa son bras sous l'un des jets brûlants de l'installation.

Un grand setter irlandais déboucha à toute allure d'un coin de la maison et s'arrêta net devant le bain. La langue pendante, il regardait son maître tout en agitant frénétiquement la queue. Son expression était si comique que Neil lui sourit, amusé.

— Bonjour, le chien !

Le setter aboya, avança une patte vers l'eau et la retira aussitôt. Il fit une nouvelle tentative mais la vapeur qui s'échappait du bain le découragea définitivement. Il aimait l'eau et adorait patauger dans les flaques et les ruisseaux mais la température que supportait son maître était trop élevée pour lui.

Neil sortit du bain quand, à son tour, il trouva la chaleur insupportable. Il marcha alors à grands pas vers la piscine, suivi par le chien. Neil fit un élégant plongeon dans la grande piscine rectangulaire qui miroitait sous le soleil. Le chien sauta maladroitement, battit l'eau de ses pattes jusqu'à l'autre bord, ressortit immédiatement et s'ébroua copieusement. Assis bien droit sur son derrière, il ne quitta plus Neil du regard.

Neil évoluait dans l'eau avec une parfaite aisance et savourait la caresse de l'eau fraîche sur son corps brûlant. Il terminait sa troisième longueur de crawl quand la sonnerie du téléphone retentit. De tous les rituels du matin, nager était celui qu'il aimait le plus. Qui donc venait le déranger à un moment si peu opportun ? Il sortit à regret de la piscine et décrocha le téléphone posé sur une magnifique table en teck, dans le patio.

— Allô ?

— Neil ? C'est Howard Perry.

— Howard, comment allez-vous ?

— En fait, pas très bien. Vous aviez raison, elle a refusé.

— Qui ? Ah oui, Stéphanie ! Vous lui avez parlé de la cérémonie ?

— Oui, ce matin même. Elle m'est tombée dessus à bras raccourcis.

— Je vous avais prévenu. Elle ne veut plus entendre parler de football depuis que Tim est mort.

— Mais ce n'est pas un match qui a causé sa mort !

— Je le sais bien !

— Alors, pourquoi reporte-t-elle son agressivité sur le football ? Son attitude me semble bien irréfléchie.

Neil haussa les épaules et une lueur amusée traversa ses yeux sombres.

— Howard, tout ce qui n'abonde pas dans votre sens vous semble sans fondement.

La franchise de Neil déconcerta un peu Howard Perry, mais il poursuivit :

— Vous devez avoir raison. C'est bien pour cela que je vous passe les rênes. Parlez à Stéphanie et réglez cette affaire avec elle.

— Vous voulez rire, je suppose.

— Pas du tout. Vous êtes le seul qui puissiez faire quelque chose. Vous étiez le meilleur ami de Tim et elle a une totale confiance en vous, non ?

— Je crois que oui, répondit Neil d'une voix blanche.

Son visage hâlé n'exprimait aucune émotion. Il laissa son regard se perdre dans le bleu de la piscine.

Le souvenir de Stéphanie l'accueillant à l'hôpital, le visage décomposé par le chagrin, surgit dans sa mémoire. Il l'avait serrée fort contre lui, comme pour exorciser le démon de la mort.

— Neil, aidez-moi. Tim... Tim va mourir ! avait-elle crié.

Stéphanie avait une confiance aveugle en lui et c'était bien ce qui le gênait. Il répondit, d'un ton agacé :

— Mais Howard, rien ne prouve que je puisse la convaincre de participer à la cérémonie. Pourquoi ne pas la laisser en dehors de tout cela ?

— Bon sang ! Vous ne voyez donc pas les conséquences que cela aurait ! Tout le monde penserait que la veuve de Timothy Tyler n'est pas d'accord avec ce que nous faisons.

— N'est-ce pas l'exacte vérité ?

— Ecoutez, Neil, tâchez de lui faire entendre raison, et si vous échouez, je ne m'en prendrai qu'à elle. Quelle entêtée, cette fille !

— Je dirais plutôt que c'est une femme qui sait ce qu'elle veut. Et vous n'appréciez pas ? rétorqua Neil en plaisantant.

— Vous n'allez pas vous y mettre aussi ! Depuis deux semaines, je suis harcelé par des femmes journalistes qui estiment qu'on ne leur accorde pas assez d'interviews.

— Je suis désolé, Howard, mais je ne peux accepter. Si j'essayais de la convaincre, je trahirais l'amitié qu'elle me porte.

Howard Perry resta coi. Il était rare qu'un joueur ose ne pas se ranger à l'avis de son directeur. Pas une seconde, il n'avait imaginé que Neil refuserait de l'aider. Neil était pourtant l'un de ceux qui faisaient passer les intérêts de l'équipe avant les siens. Howard reprit patiemment :

— Vous ne m'avez pas compris. Il ne s'agit pas de lui demander de commettre un crime envers l'humanité, bien au contraire.

— Je ne veux pas me servir de mon amitié avec son défunt mari et me livrer à un chantage affectif pour la faire changer d'avis, répliqua sèchement Neil.

— Très bien. Allez donc la voir en ami. Je pense que vous avez largement mérité ce titre.

Neil ferma les yeux et réfléchit. Sa première réaction avait été de repousser la proposition d'Howard Perry. Mais peut-être Howard n'avait-il pas complètement tort ? Il pouvait essayer de donner son avis à Stéphanie sans chercher à l'influencer pour autant.

Un frisson le parcourut quand il se remémora leur dernière rencontre. Elle portait une jupe longue très colorée et une tunique à manches longues qu'une ceinture mexicaine retenait à la taille, mettant en valeur la minceur de sa silhouette. Ses cheveux lisses, aux tons fauves, balayaient ses épaules et dévoilaient à chacun de ses mouvements de ravissantes boucles d'oreilles en argent.

Stéphanie ne recherchait jamais l'excentricité,

mais sa nature simple, entière, et son élégance un peu désinvolte la rendaient totalement irrésistible.

Comme il avait envie de la revoir ! Sa dernière visite remontait à plus d'un mois et la demande d'Howard lui fournissait un parfait prétexte pour passer lui rendre visite. Mais tout cela ne lui semblait pas très honnête : il n'avait pas besoin de prétexte pour la voir et il n'était pas question qu'il ravive le douloureux souvenir de Tim pour qu'elle accepte. Il répondit d'un ton net et précis :

— J'irai la voir et, si nous sommes amenés à en parler, je lui donnerai mon opinion ; mais il est hors de question que j'use de mon influence sur elle. Après tout, une veuve a bien le droit de vouloir préserver la mémoire de son mari.

Howard Perry poussa un profond soupir. Neil était vraiment trop à cheval sur les principes pour lui ; l'année où Neil avait été le porte-parole des joueurs n'avait pas été facile. Tim, au moins, malgré tous ses défauts, savait montrer une certaine souplesse quand il le fallait.

— Très bien, Neil. Je vois qu'il est inutile que j'insiste.

— Parfait, répondit Neil en souriant.

La démarche souple, les épaules larges, les hanches minces, c'était un athlète parfait. Il avait des bras puissants prolongés par des mains solides, aux longs doigts nerveux. Sa peau mate, tannée par l'éclatant soleil de l'Arizona, sa chevelure et ses yeux sombres révélaient ses origines créoles. Son visage aux pommettes hautes, au menton volontaire, ne trahissait que rarement ses émotions, mais une mince cicatrice, en travers de l'un de ses sourcils, lui donnait un air effronté, très séduisant, qui démentait la froideur de son regard.

Sa richesse, sa célébrité et son charme indéniable en faisaient un des plus beaux partis de la ville. Qui aurait pu croire que, depuis de longues années, il était secrètement épris d'une femme dont il ne pouvait espérer être aimé en retour ?

C'était pourtant la stricte vérité. Dès qu'il avait vu Stéphanie Caldwell au bras de Tim, il avait été bouleversé. Aucune femme ne lui avait jamais inspiré une telle émotion, qui allait bien au-delà du simple attrait physique. Mais aussitôt, un profond désespoir l'avait envahi. Tim aimait Stéphanie. Depuis trois semaines, les rares fois où il avait vu Neil, Tim n'avait pas manqué une occasion de lui parler de Stéphanie, et Neil l'avait convaincu de lui présenter cette femme exceptionnelle. Ils s'étaient donné rendez-vous dans un de leurs bars préférés.

Quand Tim lui présenta Stéphanie, elle se montra charmante tout du long de la soirée. A un moment de la discussion, elle se pencha vers Neil pour mieux l'entendre et il eut un mal fou à refréner l'envie de la prendre dans ses bras. Il réussit à cacher son trouble en faisant appel à toute sa volonté... comme pour un match.

Et, en quatre ans, alors que son amour n'avait cessé de croître, la dissimulation de ses sentiments était devenue une seconde nature. Le mariage de Stéphanie et de Tim n'avait rien changé à ses sentiments.

C'était absurde ! Il n'aurait eu qu'un geste à faire pour que des dizaines de jolies filles se précipitent dans ses bras et le guérissent de son amour impossible. Mais comment oublier Stéphanie ? Tim était son ami et ils étaient amenés à se voir fréquemment tous les trois. Il se consumait de rage chaque fois que Tim embrassait Stéphanie. Il avait bien essayé d'espacer ses visites, mais le temps n'avait pas prise sur sa passion. De son père irlandais, il avait hérité un caractère obstiné et, de sa mère créole, un tempérament passionné.

Neil s'assit au bord de la piscine. Si Tim n'avait pas été son ami, il n'aurait pas hésité un instant à engager une lutte ouverte pour conquérir Stéphanie. Il était très fier et trop habitué à gagner pour accepter de qui que ce soit qu'on lui enlève la femme qu'il aime.

Ils s'étaient liés d'amitié dès les premiers jours de leur session d'entraînement au sein de l'équipe des Arizona Apaches. Jusque-là, Neil n'avait été que le remplaçant de Brad Chisholm, un grand joueur qui poursuivait une brillante carrière après avoir surmonté l'épreuve d'un grave accident. Neil n'avait pu que rester dans l'ombre et il avait hâte de montrer ce dont il était capable. Quant à Tim, c'était un joueur hors pair, mais les excès de sa forte personnalité, tant sur le terrain qu'en dehors, l'avaient rendu indésirable dans son équipe. Ils étaient tous les deux ravis de faire partie de la sélection du club de Phoenix.

Pendant les matches, leur tempérament et leur jeu se complétaient à merveille. Ils volèrent de victoire en victoire, en offrant au public un football de qualité qui valait à l'équipe de jouer à guichets fermés.

Le temps passa et ni Stéphanie ni Tim ne surent jamais rien de son secret. Et puis, au début de l'année précédente, Tim était tombé malade et avait été emporté en moins de deux mois. Désormais, Stéphanie était libre mais, aussi bizarre que cela puisse paraître, la mort de Tim ne les avait pas rapprochés comme Neil l'aurait souhaité. Stéphanie lui accorda toute sa confiance et se reposa entièrement sur lui. Comment lui avouer, dans de telles circonstances, la nature de ses sentiments ?

Et puis il se sentait terriblement coupable. Coupable d'avoir été heureux, ne serait-ce qu'un instant, d'apprendre que Tim était mourant. Stéphanie allait pouvoir lui appartenir. Bien vite, il avait refoulé cette pensée mais sans parvenir à la supprimer complètement. Au point qu'il s'était souvent senti mal à l'aise en réconfortant Stéphanie.

Il était arrivé à la conclusion qu'il n'obtiendrait jamais d'elle autre chose que des preuves d'amitié. Le sort le voulait ainsi. Comment pourraient-ils s'aimer avec le souvenir vivace de Tim entre eux ? Parfois, il se disait qu'il devait s'armer de patience, mais il changeait bientôt d'avis. Jamais il ne connaîtrait la douceur de son amour.

Petit à petit, il avait cessé de la voir. Il fallait absolument qu'elle oublie Tim, seule. Il ne voulait surtout pas qu'elle l'aime par gratitude, pour l'aide qu'il lui apportait. Stéphanie était la seule personne au monde qu'il souhaitait rencontrer et cela lui était impossible !

Neil se glissa à nouveau dans l'eau bleue. Après quelques longueurs de crawl, il arrêta de nager et se tint au bord de la piscine. Il laissa son regard errer sur la montagne toute proche dont chaque aspérité semblait s'enflammer sous les rayons dardants du soleil. Depuis quelque temps, Stéphanie semblait surmonter de mieux en mieux son chagrin. S'il attendait trop longtemps, un autre homme viendrait la lui enlever...

Si leur amour était maudit, il passerait le restant de ses jours à aimer un fantôme. Mais s'il existait un espoir de la conquérir, le moment était maintenant venu de le savoir.

Sa crise de larmes terminée, Stéphanie se sentit très lasse mais étonnamment sereine. Elle sortit de la voiture et alla dans la salle de bains se passer de l'eau sur le visage. Puis elle se mit à l'aise, se versa un grand verre de thé glacé et se rendit dans son bureau, au fond du jardin.

Il lui suffisait d'en franchir le seuil pour se sentir bien. Il y avait un coin lecture avec une petite table basse encombrée de livres et un profond fauteuil en cuir. Sur son bureau, où s'entassaient pêle-mêle des piles de papiers et de livres, trônait une antique machine à écrire. Des étagères, un grand meuble de rangement métallique, un fauteuil de dactylo à roulettes, composaient le reste du mobilier. Aux murs, elle avait placé des photographies de famille et ses lithographies préférées. Il se dégageait de ce mélange un peu hétéroclite une atmosphère chaleureuse, propice à la réflexion et à l'écriture.

Elle se laissa choir dans le fauteuil en cuir et ferma les yeux. Comme c'était étrange ! Avoir pleuré l'avait délivrée d'un poids dont elle n'avait même pas été consciente jusque-là. Lui revinrent alors à l'esprit des moments de bonheur avec Tim ; pour la première fois, un sourire se dessina sur ses lèvres en pensant à lui. Etait-ce le signe qu'elle sortait enfin du gouffre où l'avait plongée la mort de Tim ?

Elle sourit à nouveau en repensant à sa discussion avec Howard Perry. Il s'attendait sûrement à ce qu'elle accueille sa proposition avec enthousiasme. Comme il avait dû être surpris par la violence de sa réaction ! Il ne pensait sans doute pas recevoir en guise de réponse un discours sur la façon inhumaine dont les joueurs professionnels étaient traités dans les équipes.

On frappa à la porte ; Stéphanie sursauta. Si peu de gens connaissaient le chemin de son bureau. Elle alla ouvrir et découvrit Neil, vêtu d'un jean moulant et d'un polo bleu clair qui mettait en valeur sa carrure d'athlète. Il regardait la minuscule piscine avec curiosité. Vivement, il se retourna pour la saluer.

Le visage de Stéphanie s'éclaira d'un grand sourire.

— Neil !

— Bonjour, Stéphanie. Je vous dérange ?

— Mais pas du tout. Je ne travaillais pas, j'étais perdue dans mes pensées. Mais entrez donc, cela fait des siècles qu'on ne s'est pas vus.

Il la suivit dans le bureau. A son invitation, il s'assit dans le fauteuil de cuir. Alors qu'elle s'installait gracieusement sur la chaise, il sentit le rythme de son cœur s'accélérer. Comme elle était belle ! Chaque fois qu'il la revoyait, il devait résister à la tentation de caresser ses cheveux cuivrés ou la ligne harmonieuse de son cou. Mais, heureusement, il contenait ses émotions presque automatiquement, et seule la joie de retrouver une amie transparaissait sur son visage.

Stéphanie lui dit avec une pointe de malice :

— Vous devez être doué d'un sixième sens.

— Pourquoi ?

— J'ai failli venir vous voir ce matin.

— Et pourquoi ne l'avez-vous pas fait ?

Elle lui dit en plaisantant :

— J'ai eu peur que ma voiture ne résiste pas à votre route de montagne.

Un sourire illumina le visage de Neil. Elle aimait tant voir se dérider ce visage toujours impassible.

— Et puis, j'ai pensé que je vous avais suffisamment ennuyé comme cela.

— Mais Stéphanie...

Elle l'arrêta d'un geste de la main.

— Je sais que vous allez me dire que je ne vous ennuie pas, mais je crois que j'ai déjà largement abusé de votre amitié.

Elle garda le silence un instant puis poursuivit d'un ton complice :

— Puisque vous êtes là...

Rassuré, Neil lui sourit.

— J'ai vu Howard Perry ce matin. Cela a ravivé tant de souvenirs pénibles.

Neil sentit sa gorge se nouer.

— Est-ce que Tim vous manque toujours aussi cruellement ?

— Non, ce n'est pas exactement cela. Mais je me suis souvenue du jour où le Dr Mac Ilhenny m'a appris qu'il avait une tumeur au cerveau. Et puis j'ai revu l'instant où le neurochirurgien nous a annoncé que la tumeur était maligne et qu'il était trop tard pour l'opération.

— Je m'en souviens...

Il prit les mains de Stéphanie et les serra entre les siennes.

— Je suis désolé que ce rendez-vous vous ait tant éprouvée.

— Cela m'a peut-être été utile, après tout. Je n'ai pas cessé de penser à Tim en revenant et j'ai beaucoup pleuré. Et puis je me suis rendu compte que de penser à lui ne me faisait plus vraiment mal. J'étais triste, bien sûr, mais cela ne me plongeait plus dans une terrible angoisse.

Le cœur de Neil battit à grands coups et il lâcha les mains de Stéphanie de peur qu'elle ne ressente son émoi.

— C'est vrai, Stéphanie ? Alors pourquoi avez-vous réagi si violemment à la proposition d'Howard pour l'inauguration ?

Elle sursauta.

— Comment le savez-vous ?

— Howard m'a appelé après votre visite. Il voulait que je me fasse son avocat auprès de vous.

— C'est pour cela que vous êtes venu ?

— Bien sûr que non ! Je lui ai dit de ne pas compter sur moi ; mais j'ai pensé que je pourrais tout de même vous rendre visite.

Elle se radoucit.

— Vous devez penser que je devrais accepter, n'est-ce pas ?

Neil haussa les épaules.

— Disons plutôt que j'ai du mal à comprendre votre refus.

— Ecoutez. S'ils veulent vraiment rendre hommage à Tim et faire une bonne action, rien ne les en empêche. Mais pourquoi ameuter toute la population ? Je trouve l'idée d'une fondation pour le cancer au nom de Tim absolument merveilleuse. Par contre, une cérémonie télévisée me semble uniquement destinée à faire de la publicité à l'équipe. Quelle utilité y a-t-il à ce que je dévoile une plaque commémorative en face de soixante mille supporters ? Je me refuse à entrer dans ce jeu-là.

— C'est évident qu'il ne déplaît pas à Howard de s'attirer la sympathie du public mais ce n'est pas l'unique but de la cérémonie.

— Ah non ? Et quel est-il alors ? demanda Stéphanie, sceptique.

— Ne soyez pas si cynique. Ils désirent réellement rendre hommage à Tim. Vous semblez oublier qu'avant son mariage il fréquentait beaucoup Russell Ingram qui l'invitait souvent à faire du ski. Et souvenez-vous que Russell a fait venir pour Tim un expert de Californie, à ses frais.

— C'est vrai, je m'en souviens. Ils étaient bons amis mais cela n'est pas une raison pour donner tant de publicité à l'événement.

— Comment voulez-vous que le public se souvienne de votre mari si on ne parle pas de lui ? Et l'autre but de cette cérémonie, c'est de rendre hommage à l'action de l'association des femmes de footballeurs. Elles se sont donné un mal fou pour réunir des fonds. Elles ont organisé une soirée, vendu un livre de cuisine et mille autres choses encore, n'est-il pas normal qu'elles soient remerciées de leurs efforts ?

— Je n'avais pas vu les choses sous cet angle, répondit pensivement Stéphanie.

Elle s'était peut-être emportée trop vite ce matin. Howard Perry n'avait même pas eu le temps de s'expliquer. Pour être honnête, elle devait admettre qu'elle nourrissait un préjugé défavorable à son égard, car ni Tim ni elle ne l'avaient jamais aimé.

— Je ne veux pas qu'Howard utilise la mort de Tim à des fins commerciales.

Neil lui demanda avec franchise :

— Stéphanie, à votre avis, quelle aurait été la réaction de Tim devant tout cela ?

Cette question la désarma et elle répondit, en souriant :

— Il aurait ri. Il se moquait bien de ces choses-là.

— Je suis bien d'accord. Cela lui aurait été complètement égal. Je crois qu'il aurait trouvé des plus comiques qu'Howard se donne tant de mal pour lui rendre hommage, alors qu'ils ne s'appréciaient pas particulièrement.

Stéphanie eut un petit rire.

Elle avait tort de se faire tant de soucis ; l'idée n'était pas si mauvaise, après tout. Et, comme le disait Neil, Tim lui-même ne s'en serait pas offensé. Il ne prenait jamais rien au sérieux. En fait, ce n'était pas tant par souci de moralité que par peur d'être confrontée à la foule qu'elle avait refusé. Et elle ne voulait pas que la peur la guide dans ses choix.

Elle fit mine de jeter un regard courroucé à Neil.

— Pour quelqu'un qui ne voulait pas me convaincre, vous vous êtes bien acquitté de votre tâche.

Il étouffa un rire.

— Je n'ai jamais affirmé que je ne voulais pas

vous convaincre. J'ai tout simplement affirmé que je ne le ferais pas pour Howard et l'équipe.

— C'est bon, j'accepte.

Soudain déchargée d'un grand poids, elle lui dit, le cœur léger :

— Oublions Howard Perry et l'équipe, voulez-vous ?

— Je n'ai rien contre.

— Et si nous déjeunions ? Je vais préparer quelque chose à grignoter.

— C'est une très bonne idée.

Ils sortirent du bureau. Tandis qu'ils traversaient le jardin, il ne put détacher son regard de Stéphanie. Ses cheveux fauves découvraient ses épaules nues à chacun de ses pas, et l'idée de sentir cette peau soyeuse sous ses mains l'enflamma de désir.

Une certitude l'envahit tout entier. Sans elle, il ne trouverait jamais la paix et il était prêt à combattre tous les fantômes du passé pour conquérir son amour.

Chapitre 3

Stéphanie eut beau inspecter ses placards, elle ne pu réunir de quoi proposer un déjeuner correct à son invité impromptu.

Neil lui lança d'un ton moqueur :

— Et dire qu'on critique les célibataires dont le réfrigérateur est toujours vide !

— Vous n'êtes pas drôle. Ma mère n'a pas fait de moi une parfaite maîtresse de maison, c'est tout. Il ne nous reste plus qu'à aller faire un tour au supermarché.

Ils s'y rendirent en voiture. Le magasin faisait partie d'un centre commercial de construction assez ancienne. Les allées étroites de ses rayons et la sonnerie tonitruante de ses tiroirs-caisses lui donnaient un charme vieillot. Le personnel y était sympathique et les locaux respiraient la propreté. Stéphanie pensa, une fois de plus, qu'elle aurait aimé accompagner sa mère dans un supermarché comme celui-ci quand elle était petite.

Neil confirma son sentiment en lui disant :

— Cet endroit me rappelle l'épicerie où j'allais avec ma mère. Elle faisait ses courses le mercredi et j'adorais l'accompagner : ce jour-là, j'avais toujours droit à des petits cadeaux.

Stéphanie prit un chariot et ils arpentèrent la première allée.

— Que voulez-vous manger ? Quelque chose de simple ou de compliqué ?

— Parce que vous savez faire la cuisine ?

Elle le foudroya du regard.

— Aussi étrange que cela puisse paraître, je sais parfaitement cuisiner, mais les plats élaborés demandent beaucoup de temps.

— Mangeons simplement, alors. Que diriez-vous d'un sandwich ?

— Ah non ! Il n'en est pas question, tout de même !

— Oh ! Excusez-moi. Qu'est-ce que madame désire ?

Il lui sourit, heureux de leur conversation ironique. Il aimait tant être avec elle, lui parler ; la seule ombre au tableau c'était qu'il ne pouvait s'empêcher de la désirer éperdument.

Le simple fait de discuter avec elle faisait naître en lui un étrange trouble. Stéphanie marchait à ses côtés ; son hâle doré tranchait délicieusement sur son bustier blanc qui révélait, à la perfection, les formes voluptueuses de sa poitrine. L'envie de presser ses lèvres sur sa peau satinée le dévora. A l'instant où elle se retourna, il serra les poings dans ses poches pour ne pas l'attirer impérieusement à lui. Elle lui dit quelque chose, et il acquiesça, sans comprendre. Quand elle se mit sur la pointe des pieds pour attraper un pot de mayonnaise, sa jupe dévoila ses longues jambes fuselées. Neil était incapable de détacher son regard d'elle. Le désir de la prendre dans ses bras, de sentir sa chaleur et de l'embrasser lui brûla le cœur.

Elle le regarda et fut surprise par l'expression rageuse qui se peignait sur son visage.

— Qu'avez-vous ?

— Mais rien, pourquoi ?

— Vous avez l'air d'être en colère.

— Non, je pensais à quelque chose, répondit-il en affichant un grand sourire.

— Vous pensiez à Tim ?

— Mais pas du tout. J'ai oublié de faire quelque chose chez moi.

Stéphanie ne fut pas convaincue par son explication mais n'insista pas.

— Que diriez-vous d'une salade composée, avec du thon, et d'un melon à point pour le dessert ? J'en ai de délicieux à la maison.

— C'est une très bonne idée.

Stéphanie prenait les articles nécessaires à la confection du repas au hasard des rayons ; elle fit trois fois le tour du magasin avant de tout réunir.

Neil pouffa de rire.

— On ne peut pas dire que vous soyez une habituée des supermarchés.

— C'est exact, répliqua-t-elle.

— Vous mangez souvent à l'extérieur ?

— Oui, c'est une vieille habitude familiale. Ma mère n'était pas vraiment une parfaite ménagère et elle ne m'a pas appris à l'être.

Elle ajouta malicieusement :

— Vous connaissez tous mes défauts. Je ne joue pas au tennis, je ne cours pas...

— Vous ne pratiquez aucun sport, en fait.

— Ce que je préfère à tout, c'est lire un bon roman, confortablement installée dans mon canapé.

— Et votre deuxième activité préférée ? Regarder la télévision du fond de votre cher canapé ?

— Neil ! Ne me faites pas plus paresseuse que je le suis. Ce que j'aime. sinon, c'est aller au cinéma.

— Excusez-moi ! Je ne voulais pas vous vexer.

Stéphanie éclata de rire et le prit affectueusement par la taille.

— J'aime bien être avec vous. Pourquoi m'avez-vous boudée tous ces derniers temps ?

Le geste de Stéphanie était totalement platonique ; pourtant, comme il aurait aimé qu'il en soit autrement ! Les cheveux soyeux de la jeune femme l'effleurèrent et un délicieux frisson parcourut sa poitrine.

Il affecta un ton léger pour lui répondre.

— Je ne voulais pas vous déranger.

— Mais Neil, vous n'êtes pas venu depuis au moins deux mois.

— Cela fait six semaines.

Elle le regarda fixement, incrédule.

— Seigneur, quel souci d'exactitude !

Il avait failli se trahir ! Heureusement, Stéphanie s'était méprise sur le sens de ses paroles. Elle les avait mises au compte de son esprit méticuleux, sans même imaginer combien six semaines d'attente pouvaient sembler longues à un homme fou d'amour. S'il ne pouvait plus se fier à sa propre langue, il valait mieux qu'il ne se perde pas en explications.

Il leva les épaules et poursuivit :

— Je pensais que vous aviez besoin d'être seule.

— Vous voulez dire que j'ai abusé de votre amitié, c'est cela ?

— Mais absolument pas ! Et puis, j'aime bien que vous abusiez de mon amitié.

Elle lui lança d'un ton sarcastique :

— J'ai toujours pensé que vous aviez des côtés pervers.

Elle jeta un coup d'œil à son chariot.

— Eh bien, je crois que j'ai tout ce qu'il nous faut ! Oh ! j'ai bien dû oublier quelque chose, mais je ne m'en souviendrai qu'une fois arrivée à la maison, comme d'habitude.

Ils passèrent à la caisse et revinrent chez Stéphanie. Elle prépara le repas pendant que Neil, en vieil habitué de la maison, mettait la table. Pendant les premières minutes du repas, ils échangèrent à peine quelques mots mais, une fois leur appétit rassasié, leur conversation alla bon train.

— Comment vont vos amours ? lui demanda incidemment Stéphanie.

Une étrange lueur brilla dans les yeux de Neil pour s'effacer aussitôt.

— Il n'y a rien de particulier à dire.

— Vous voyez toujours Jill ?

— Oh, non ! Nous nous sommes séparés il y a longtemps déjà ; peu de temps après la mort de Tim.

Il s'arrêta, soudain gêné.

— Je suis désolé, Stéphanie. Je voulais dire...

— Mais ce n'est pas grave, ne vous excusez pas. C'est drôle comme les choses changent, je peux parler de lui sans pleurer maintenant. Je savais bien que cela arriverait un jour mais, malgré tout, je me sens un peu coupable de ne plus avoir de peine. Avez-vous éprouvé la même chose ?

— Oui.

Neil préféra éviter son regard et se plongea dans la contemplation de son melon.

— Et vous ? Vous voyez quelqu'un ?

— Moi ? Je suis bien loin de tout cela. Une amie m'a invitée à la répétition générale de son spectacle au théâtre mais, à la seule idée d'y aller seule, j'ai refusé. Ah, au fait...

Elle s'arrêta et regarda Neil.

— Oui ?

Il lui sembla deviner ce qu'elle allait lui dire ; un sentiment de joie, mêlé d'appréhension l'envahit.

— Voudriez-vous m'accompagner ? Claire est une bonne amie, et cela me désolerait de rater la générale. Elle a vraiment travaillé d'arrache-pied pour monter cette pièce. Alors, si vous le pouvez, j'aimerais que vous veniez.

— Comment résister à une invitation si flatteuse ? Vous ne voulez pas y aller seule ; vous ne voulez pas non plus être accompagnée par un prétendant. Je suis donc l'homme que vous cherchez.

— Neil, ce n'est pas ce que je voulais dire, mais vous êtes mon ami et il est clair que vous ne...

Elle rougit jusqu'aux oreilles.

— Stéphanie, je crois que vous glissez sur un terrain dangereux, dit-il d'un ton ironique. Allez, j'ai pitié de vous ! Je viendrai et je vous promets de ne pas vous faire le coup de la panne d'essence en vous raccompagnant !

Elle lui sourit.

— Toujours la plaisanterie à la bouche ! On vous l'a déjà dit ?

— Oui. Des gens qui admiraient la finesse de mon humour, tout à fait digne de représenter l'esprit qui anime ces magnifiques sportifs, dont je suis. Quand cette générale a-t-elle lieu ?

— Samedi prochain.

— Que diriez-vous si je vous invitais à dîner avant le spectacle ?

— Ne faites pas de... folles dépenses. Elles impliquent trop souvent une petite compensation.

Il prit un air exagérément cynique.

— Vous ne me refuserez tout de même pas le dessert.

Elle répliqua, innocente.

— Une glace, par exemple ?

— Eh bien ! D'accord pour une glace, si vous voulez n'en faire qu'à votre tête !

Stéphanie se leva et lui sourit.

— Je crois que je ne vous comprendrai jamais.

— Pourquoi cela ? J'ai pourtant été très clair.

— Clair comme de l'eau de roche ! Comme vous le disiez, vous êtes sérieux, loyal, dévoué et digne de confiance.

— Un vrai boy-scout, en somme.

— Ne riez pas. Ce sont des qualités tout à fait honorables. J'aurais parfois bien aimé que Tim possède un peu de votre sérieux. Tout ce que je voulais dire, c'est que je ne vous croyais pas capable d'un humour aussi enfantin. Et puis, pourriez-vous me dire comment il se fait qu'à trente-deux ans vous jouiez encore les jolis cœurs ? Vous devriez être déjà marié et avoir des enfants.

— Je sais. Mais la vie ne m'a pas ménagé.

— Soyez sérieux. Etes-vous pour le mariage ?

— Bien sûr que oui ! Sous bien des aspects, je suis très vieux jeu. Le mariage est pour moi une chose sérieuse. Je ne veux pas me marier à la légère et j'attends toujours la femme idéale.

— Il n'y a jamais eu quelqu'un avec qui vous envisagiez de vous marier ?

— Je n'ai pas dit cela. Peut-être n'ai-je pas eu de chance ?

— Enfin, vous êtes beau, riche, drôle et avez très bon caractère. Qui pourrait refuser de vous épouser ?

— Une femme amoureuse de quelqu'un d'autre, lui répondit-il d'une voix lointaine.

— Oh, Neil, je suis désolée ! Je ne voulais pas raviver en vous de cruelles douleurs. Parlons d'autre chose, voulez-vous ?

— Oui.

La conversation prenait un tour trop dangereux. Ils venaient de frôler une vérité qu'il était prématuré de dévoiler et c'est avec soulagement qu'il changea de sujet.

— Où en est votre travail ?

Stéphanie lui répondit dans un soupir.

— Je n'ai pas travaillé depuis des semaines.

— Que se passe-t-il ?

— J'ai beau cherché dans toute ma documentation, je ne trouve pas de sujet. Le livre que j'ai terminé après la mort de Tim va bientôt être publié et je n'ai pas la moindre idée du prochain.

Il fronça les sourcils.

— L'angoisse de la feuille blanche ?

— Cela m'en a tout l'air, mais c'est la première fois que cela m'arrive. J'ai bien dû jeter trois poubelles pleines de premiers chapitres. J'ai même essayé de me lancer dans le roman. Sans succès !

Elle poussa un profond soupir.

— Il faut absolument que je trouve un sujet, sinon je vais bientôt être à court d'argent.

— Vous pourriez écrire ma biographie ; reste à savoir qui serait intéressé par la vie d'un joueur de football qui ne mène même pas une existence scandaleuse !

Stéphanie eut un petit sourire amusé.

— Il ne vous reste plus qu'à défrayer la chronique et j'aurai un bon sujet.

— Je vous remercie, mais votre proposition ne me tente pas vraiment.

Le visage de Stéphanie redevint grave.

— Je suis désespérée. Je me sens comme vide, je n'arrive plus à penser ni à écrire. Et pourtant, j'essaie de toutes mes forces. C'est bizarre ! Quand je pense que j'ai pu finir mon livre après la mort de Tim ! A l'époque, je me forçais à travailler malgré mon désarroi. Je me souviens qu'un jour je pleurais à chaudes larmes sur ma machine à écrire tout en décrivant la mort d'un enfant. Il m'a fallu beaucoup de persévérance.

— Cessez de vous tracasser. Reposez-vous et vous verrez que les choses viendront d'elles-mêmes.

— Vous croyez ?

— J'en suis persuadé. J'ai dû patienter des semaines avant de pouvoir bouger mon coude. Dieu sait pourtant que je mourais d'envie de savoir s'il fonctionnait normalement ! Il faut du temps pour guérir après une opération et je crois qu'il en est de même pour surmonter un choc affectif. Vous devriez prendre un peu de recul et vous détendre.

Stéphanie lui sourit timidement.

— Je vais essayer. Si nous nagions ?

— C'est une bonne idée, mais allons chez moi : votre piscine est grande comme un mouchoir de poche !

— Cela va être fatigant. Il commence à faire trop chaud ! Allons plutôt au cinéma.

— J'ai trouvé ! Que diriez-vous de passer l'après-midi à Sedona ?

C'était un pittoresque village d'artistes, à deux heures de voiture de Phoenix. Dans un cadre magnifique, on s'y promenait de galeries en boutiques.

— Parfait ! Il y a bien longtemps que je n'y suis allée ! s'exclama Stéphanie.

Ils prirent la Land-Rover de Neil et s'engagèrent sur l'autoroute. Stéphanie se cala confortablement dans son siège et apprécia la fraîcheur de l'air conditionné. Il faisait si chaud dehors ! C'était agréable et troublant de sentir Neil si près d'elle. Elle avait été si longtemps privée d'une présence masculine ! Alors que le parfum discret de son eau de toilette flottait dans la voiture, elle se laissa bercer par les chauds accents de sa voix. Oui, c'était rassurant d'avoir un homme à ses côtés ! Elle admira le jeu de ses longs doigts nerveux sur le levier de vitesses et, à la vue de ses bras puissants, un léger frisson la parcourut.

Neil la regarda furtivement puis fixa à nouveau la route. Il faisait à peine attention à la beauté du paysage qui les entourait. Une image s'imposait à son esprit : Stéphanie, vêtue d'une robe en lamé à fines bretelles, s'avançait vers lui et lui offrait, en souriant, ses lèvres entrouvertes. Il se vit caresser tendrement ses cheveux, effleurer la naissance de sa gorge, faire glisser les bretelles de sa robe sur sa peau satinée. Il but du regard les délicieuses rondeurs de sa poitrine tandis que, les yeux fermés, elle soupirait. Déshabillez-vous, lui disait-il, et comme toujours dans ses fantasmes, elle lui obéissait, prête à combler tous ses désirs. Fou de désir, il s'approchait alors d'elle...

— Neil ?

La voix de Stéphanie le fit soudain émerger de son rêve.

— Oui...

— A quoi pensez-vous ? J'ai cru que vous étiez à des années-lumière d'ici.

— Je suis désolé. Je réfléchissais à des problèmes de tactique. Quoi qu'on fasse, il reste toujours quelques détails à régler.

Ils parlèrent de leurs amis communs puis Stéphanie lui demanda comment allait son coude depuis l'opération. Il lui expliqua en détail les exercices qu'il faisait tous les jours.

— Cela a l'air très difficile ! Je serais incapable d'en faire autant. Où puisez-vous votre volonté ?

— Il faut bien que je retrouve ma forme pour la session d'entraînement.

Stéphanie sourit, pensive. Elle se tourna vers lui et laissa errer son regard sur ses mains puissantes, ses bras musclés. Un élan de désir la traversa. Que lui arrivait-il ? Voilà que se réveillaient en elle des frissons depuis longtemps oubliés. Et c'était Neil, son ami le plus dévoué, qui provoquait son trouble !

Elle le regarda à la dérobée. Il n'avait heureusement rien remarqué et surveillait la route. Elle observa longuement son profil d'aigle, ses grands yeux ténébreux, ombrés de longs cils, et ses cheveux noirs comme jais. Elle admira son corps élancé, ses épaules larges. Il émanait de lui une indéniable puissance virile.

Neil avait dû largement user de son pouvoir de séduction, elle en était certaine. Elle se souvint de son aveu. Ainsi, il aurait été amoureux d'une femme qui ne l'aurait pas aimé en retour. Elle avait peine à le croire. Il ne pouvait y avoir qu'une explication : il s'agissait d'une femme mariée. Peut-être même la connaissait-elle ? En tout cas, Neil s'était bien gardé de lui en parler. Elle qui se croyait son amie ! Mais cette histoire ne tenait pas debout. N'était-ce pas plutôt un bon prétexte pour changer de sujet de conversation ? Comment savoir avec Neil ? Il était si renfermé. Et il éludait d'autant mieux les questions qu'il maniait l'humour avec un art consommé.

Mais la vraie question n'était pas là. Quelle était donc cette attirance qu'elle avait ressentie pour lui ? Il lui semblait avoir trompé Tim ; quant à Neil, elle avait trahi son amitié. Elle aurait eu l'air d'une fieffée idiote s'il avait remarqué son trouble ! N'était-elle pas la veuve de son meilleur ami ?

D'ailleurs, elle aussi ne voyait en lui qu'un ami sincère. Son soutien, après la mort de Tim, l'avait considérablement aidée. Comment aurait-elle fait sans son appui ? Neil était un ami de longue date et il le resterait.

Elle s'absorba dans la contemplation du paysage désertique. Après les moments difficiles, elle reprenait lentement goût à la vie. Quoi de plus naturel, alors, à ce qu'elle soit émue par une présence masculine ? Neil n'y était absolument pour rien. Elle aurait pu tout aussi bien être sensible au charme d'un autre homme. En un sens, il était heureux que cela lui soit arrivé avec Neil car, au moins, elle ne risquait pas de se méprendre sur la vraie nature de son trouble.

Devant eux s'étendait un massif montagneux, et au kilomètre 179, ils bifurquèrent vers le nord.

Quelques minutes plus tard, Sedona leur apparut, resplendissante sous le soleil.

De hautes falaises ocres, où jouaient l'ombre et la lumière, dominaient la ville. Ils passèrent l'après-midi à musarder dans les boutiques d'artisanat et les galeries d'art.

Stéphanie trouva une jolie peinture sur soie qu'elle décida d'offrir à sa mère. Puis elle s'attarda longuement devant la vitrine d'un joaillier. Son regard fut attiré par un magnifique collier, un bracelet et des boucles d'oreilles assortis. Le collier en or était orné de deux cristaux de roche, en forme de coquillage, d'un rose délicat. Le bracelet et les boucles d'oreilles étaient de même facture. Stéphanie mourait d'envie de les acheter quand sa raison la rappela à l'ordre.

L'héritage de Tim, une fois les droits de succession et ses dettes payés, s'était considérablement amenuisé. Il lui était resté, bien sûr, de quoi s'acheter sa maison et vivre confortablement pendant un certain temps, mais bientôt elle ne pourrait plus compter que sur la vente de ses livres ; il valait donc mieux qu'elle s'abstienne de faire des folies.

Neil la buvait du regard en imaginant les formes épurées des cristaux, délicatement posés sur la peau veloutée de sa gorge... Stéphanie quitta la devanture à regret et ils entrèrent dans une galerie voisine. Neil, usant d'un faux prétexte pour s'absenter, revint chez le joaillier acheter les bijoux. Ce n'était pas encore le moment de les lui donner mais il savait qu'un jour viendrait où elle les accepterait.

Ils dînèrent sous la treille d'un charmant restaurant, véritable oasis de fraîcheur au milieu du désert brûlant. Puis ils revinrent à Phoenix. Dans la voiture, ils parlèrent peu, l'un et l'autre absorbés dans leurs pensées.

Il la raccompagna jusqu'à sa porte et la quitta,

après avoir refusé de prendre un verre. Le silence de la nuit parut soudain pesant à Stéphanie mais le sourire lui revint, à l'idée qu'elle le reverrait bientôt.

Chapitre 4

Le lendemain, Stéphanie passa la matinée à faire du ménage, suivant en cela le conseil de Neil qui lui avait suggéré d'oublier tout travail intellectuel. Puis elle tenta de lire mais dut y renoncer, faute de concentration. Après avoir erré de pièce en pièce, elle décida de sortir et de rendre visite à l'une de ses amies. Elle les passa en revue mais la plupart d'entre elles travaillaient. Claire était sûrement prise au théâtre, absorbée par la préparation de son spectacle. Elle sourit en pensant à Julie Koblitz. Julie ne travaillait pas en dehors de ses activités bénévoles pour l'association des femmes de footballeurs. Elle était sûrement chez elle.

Elle composa son numéro et fut ravie d'entendre sa voix au bout du fil. Julie était si contente de lui parler qu'elle l'inonda de paroles et qu'il fallut bien cinq minutes à Stéphanie avant de lui demander si elle pouvait passer la voir. Julie accepta avec enthousiasme.

— Je vous attends. Nous pourrons pour une fois bavarder en toute tranquillité. David fait la sieste et ses frères sont en vacances.

Un quart d'heure plus tard, Stéphanie arrivait chez les Koblitz.

Ils habitaient une grande maison de bois et de verre, située au fond d'une impasse tranquille. Julie se plaisait à dire qu'on ne pouvait imaginer mieux pour une famille avec trois garçons. De l'arrière de la maison, on jouissait d'un magnifique point de vue sur les montagnes environnantes. Stéphanie venait juste de garer sa voiture dans l'impasse quand elle vit Julie sortir de la maison et courir vers elle.

— Stéphanie, comme je suis contente de vous revoir ! Vous êtes resplendissante. Vous savez, je commençais à croire que vous m'aviez oubliée.

Julie était une petite brune, vive et enthousiaste. A sa façon, elle était tout aussi sportive que son mari. Elle passait le plus clair de son temps dans leur piscine ou à jouer au tennis. Elle portait presque toujours un bermuda, un tee-shirt sans manches et une paire de *tongs*, quand elle n'était pas tout simplement nu-pieds. Son hâle de sportive faisait ressortir ses yeux bleu clair. Julie était la première épouse de footballeur qu'elle ait connue et Stéphanie appréciait beaucoup sa compagnie. Pourtant, depuis la mort de son mari, Stéphanie avait espacé ses visites ; il lui avait été pénible de se retrouver dans le cercle des anciens amis de Tim.

Mais ce jour-là, nul souvenir douloureux ne vint troubler la joie qu'elle éprouvait à la revoir. Elle répondit à Julie en lui adressant un grand sourire.

— Julie, je suis désolée de ne pas être venue plus souvent.

— Ce n'est pas grave. Je crois que j'en comprends les raisons, et ne vous en veux pas du tout. Entrez donc. Nous avons de la chance que David dorme encore ; nous allons pouvoir prendre tranquillement le café au salon. Il faut absolument que vous goûtiez au délicieux gâteau au chocolat que Myriam m'a apporté hier.

— Vous parlez de Myriam Fulton ? Comment va-t-elle ? demanda Stéphanie.

Elles entrèrent dans la maison où régnait une température idéale.

— Elle s'est enfin sortie de sa dépression nerveuse. Le médecin qui l'a soignée l'a beaucoup aidée et le fait que son mari ait vu son contrat renouvelé pour trois ans lui a remonté le moral.

Julie alla préparer le café et revint de la cuisine avec un plateau lourdement chargé de deux tasses, d'un sucrier en cristal, d'un pot à lait et d'épaisses tranches de gâteau au chocolat. Elle servit Stéphanie puis s'installa confortablement en travers du canapé. Quand elle porta une cuillerée de pâtisserie à sa bouche son visage s'illumina d'une joie gourmande.

— Dieu que c'est bon !

— Alors, racontez-moi les dernières nouvelles, lui demanda Stéphanie avec empressement.

Julie n'attendait que cette question pour se faire l'écho des potins concernant les joueurs de l'équipe, leurs épouses ou leurs petites amies.

Quand elle eut passé tout le monde en revue, Stéphanie lui demanda :

— Et que savez-vous de Neil et Jill Byerly ? Il m'a dit l'autre jour qu'ils avaient rompu.

— Il y a longtemps déjà. En fait, elle n'aimait pas jouer les seconds rôles.

— Je ne comprends pas. Que voulez-vous dire ?

Julie se troubla un instant puis poursuivit :

— Vous savez bien que la seule passion de Neil, c'est le football.

L'hésitation de Julie n'avait pas échappé à Stéphanie. Savait-elle quelque chose qu'elle ne voulait pas lui dire ? Pourtant Julie n'était pas quelqu'un de secret.

— Qui est sa nouvelle amie ?

Julie fronça les sourcils, pensive.

— Personne. Enfin, je veux dire qu'on ne l'a vu avec personne en particulier. Il n'est pas beaucoup sorti, après...

Elle s'arrêta et jeta un coup d'œil furtif à Stéphanie.

— Après la mort de Tim, continua Stéphanie. Vous pouvez parler de lui, vous savez.

— Neil évitait tout le monde. La saison dernière, il a eu pas mal de problèmes. Il s'est à nouveau blessé au coude et, surtout, il a cruellement souffert de l'absence de Tim sur le terrain. Ils se comprenaient si bien. En tout cas, Neil ne s'est pas beaucoup montré en société et, la plupart du temps, il était seul ou accompagné d'une amie, à chaque fois différente.

— C'est Jill qui l'a quitté ?

— Je crois. Du moins, c'est ce qu'on m'a dit.

— Pensez-vous que cela l'ait marqué au point qu'il ne puisse plus s'attacher à quelqu'un ?

— Non. A mon avis, il n'a jamais été fou de Jill. Je crois qu'il a eu besoin de solitude, c'est tout. Vous l'avez vu récemment ?

— Oui, hier.

Stéphanie lui raconta par le menu sa visite à Howard Perry et comment Neil lui avait fait changer d'avis.

— Comme je suis contente que vous acceptiez !

— A vrai dire, je n'avais pas pensé à toute la peine que vous vous êtes donnée. Neil m'a fait comprendre que ce serait injuste envers vous toutes de ne pas participer à la cérémonie.

— Si vous saviez comme nous nous sommes démenées ! C'est moi qui étais chargée de réunir les recettes pour le livre de cuisine ; j'ai cru que je n'y arriverais jamais. Mais nous avons toutes travaillé de bon cœur ; nous aimions beaucoup Tim.

Les larmes aux yeux, Stéphanie la remercia.

— Julie, j'apprécie énormément votre geste à toutes.

Julie, dont le tempérament enthousiaste ne s'accommodait pas très longtemps du malheur, changea de sujet de conversation.

— J'ai invité quelques membres de l'association à prendre le café la semaine prochaine. Pourquoi ne viendriez-vous pas ? Nous serions ravies de vous accueillir.

— Merci. Mais je ne fais plus vraiment partie de l'association maintenant.

— Ce n'est pas une réunion officielle ! Nous nous retrouvons pour le plaisir de discuter ensemble.

— C'est très gentil à vous de m'inviter, mais je ne serai pas à mon aise.

— Nous sommes toujours amies, n'est-ce pas ?

— Vous et moi, oui. Mais je n'ai jamais eu grand-chose en commun avec les autres. A part le fait que nous étions des épouses de joueurs professionnels.

Julie soupira.

— Vous avez sans doute raison. En tout cas, promettez-moi que nous continuerons à nous voir.

— C'est promis.

— Parfait. Nous pourrions aller au cinéma ou dîner ensemble bientôt. Bob vient de partir à l'entraînement pour plusieurs jours ; les enfants ne rentrent pas de vacances avant le huit août.

— C'est entendu. J'attends votre coup de fil. Mais vous ne m'avez encore rien dit des garçons.

Le visage de Julie s'illumina d'un grand sourire et, en mère attendrie, vanta les mérites de chacun de ses enfants. David n'avait que trois ans mais il promettait déjà d'être aussi grand et intelligent que son père. Brad était un sportif accompli, bien qu'il ait hérité de sa petite taille. Quant à Travis, il était grand et bien bâti pour ses dix ans mais il causait le désespoir de son père en refusant de faire du sport pour ne s'intéresser qu'à la musique et au dessin.

Le petit David fit soudain irruption dans la pièce. Il sortait de sa sieste. Les premières minutes passées, il abandonna toute timidité et vint jouer avec Stéphanie. Il lui apporta un à un tous ses jouets. Stéphanie le regardait avec affection. C'était un bel enfant, vif et rieur, bien plus grand que les enfants de son âge. Elle eut soudain le cœur gros. Comme elle avait rêvé d'avoir un fils de Tim ! Il aurait été un petit bonhomme comme David et il aurait hérité de la crinière blonde et des yeux bleus de son père.

Julie remarqua les larmes qui brillaient dans les yeux de Stéphanie.

— Ça suffit, David. Va jouer dans ta chambre maintenant, lui dit-elle d'un ton ferme.

David protesta.

— Laissez-le, Julie, il faut que je rentre maintenant.

— Vous partez déjà ?

— Oui, mais appelez-moi et nous passerons une soirée ensemble.

Stéphanie sortit et marcha rapidement jusqu'à sa voiture où elle brancha immédiatement l'air conditionné. Elle vit Julie et David, sur le seuil de la maison, lui faire de grands signes d'adieu quand elle démarra.

En chemin, elle ne put s'empêcher de repenser à ce que Julie lui avait dit sur Neil et Jill. Elle s'avoua que le vrai but de sa visite à Julie avait été d'en savoir plus sur Neil. Mais qu'est-ce qui attisait tant sa curiosité ? Jamais elle ne s'était tant souciée de la vie privée de Neil !

Stéphanie rejeta violemment le souvenir de son trouble de la veille. Que lui arrivait-il donc ? Elle n'allait tout de même pas s'intéresser à Neil. Il était non seulement son ami, mais aussi celui de Tim. Sa solitude lui jouait des tours ! Il fallait absolument qu'elle suive les conseils de Claire et qu'elle sorte, qu'elle voit du monde...

A peine arrivée chez elle, elle se précipita sur le

téléphone et appela Claire à son bureau. Au bout de la troisième sonnerie, celle-ci répondit.

— J'espère que je ne vous dérange pas, dit vivement Stéphanie.

Claire éclata de rire.

— Pas du tout. Au contraire, sans vous, j'aurais fini par étrangler ce livreur qui n'avait rien amené de ce que je lui avais demandé. Eh bien ! que se passe-t-il ? Vous venez à la générale ?

— Bien entendu ! Je ne la manquerais pour rien au monde.

— Vous venez seule ou accompagnée ?

— Je serai avec un ami.

— Vous voilà enfin raisonnable !

— C'est simplement un ami, répondit Stéphanie.

Elles prolongèrent leur conversation jusqu'à ce que Stéphanie lance, sur un ton qui se voulait désinvolte :

— A propos, vous vous souvenez de toutes les fois où vous m'avez proposé de me faire rencontrer quelqu'un ? Eh bien, je suis d'accord.

Ce rendez-vous arrangé se solda par un échec total. Il était avocat et s'appelait Ron Porter. De taille moyenne, il était plutôt beau mais tellement bavard qu'il allait ennuyer Stéphanie à mourir pendant toute la soirée. Dès qu'elle le vit, elle pressentit son erreur. Elle lui offrit un cocktail et il lui parla de son travail et de ses loisirs, ce qui ne l'intéressait pas le moins du monde. Pour couper court à sa conversation, elle lui proposa de se rendre au restaurant.

Ses efforts pour le faire changer de sujet de conversation s'avérèrent vains. Intarissable sur son travail, il garda la parole pendant tout le dîner. Le repas fut excellent mais ne parvint pas à dissiper le profond ennui de Stéphanie. Ron Porter la laissait complètement indifférente. Quand, à la fin du dîner, il la prit par la taille, elle se dégagea doucement de son étreinte.

Quelle idiote elle avait été d'accepter ! Plus d'une femme aurait souhaité être à sa place ! Sans doute ! Mais en ce qui la concernait, sa seule envie était de se retrouver seule. Comme cet homme était suffisant ! Elle ne retrouvait rien en lui de ce qui faisait le charme de Neil. Ses yeux étaient fuyants, son sourire hypocrite et il respirait la banalité.

Tout à coup, elle se rendit compte qu'elle ne le comparait même pas à Tim mais à Neil. Pourquoi ? Comment expliquer sa fébrilité, ses récentes sautes d'humeur et l'étrange attraction que Neil exerçait sur elle ? Elle ne contrôlait plus ses émotions. Jamais elle n'avait été aussi enjouée depuis le décès de Tim.

Il la raccompagna chez elle et elle se sentit obligée de lui offrir un dernier verre. Tandis qu'il s'installait sur le canapé, elle prit soin de s'asseoir sur une chaise, à distance respectable. Elle fit semblant d'être intéressée par son verbiage. Son verre de cognac terminé, il se leva et se rapprocha d'elle, l'œil brillant. Quel guêpier !

Il vint si près d'elle que Stéphanie se figea. Maladroitement, il la prit par les épaules, tenta de l'embrasser. Elle le repoussa avec tant de force qu'elle renversa sur sa chemise immaculée le verre de crème de menthe qu'elle tenait à la main. Il regarda avec consternation sa chemise tachée. A le voir si dépité, Stéphanie ne savait plus si elle devait rire ou bien pleurer. Elle se ressaisit.

— Ecoutez, Ron, je suis désolée pour votre chemise mais il vaut mieux que vous partiez maintenant.

Il saisit sa veste et la salua très sèchement. Elle le regarda partir avec soulagement. Puis, prise d'un fou rire, elle se laissa tomber sur le canapé. Quelle abominable soirée, on ne l'y reprendrait pas de sitôt ! Elle n'aspirait plus qu'au calme et à la bonne humeur d'une soirée amicale avec Neil.

Neil tourna la clé de contact et démarra. La Land-Rover, parfaite pour le chemin creusé d'ornières qui allait de la route à sa maison, n'était pas vraiment la voiture idéale pour emmener une femme au théâtre.

Malgré tout, il était certain que Stéphanie ne lui en tiendrait pas rigueur. Elle n'était pas du tout mondaine. Souvent, il l'avait vue un peu gênée dans la Ferrari de Tim. D'ailleurs, ce n'était pas la première fois qu'elle circulait dans sa Land-Rover. Comme à son habitude, elle se moquerait un peu de ce véhicule mal adapté à la ville, mais cela faisait partie de leur code d'amitié. Lui-même ne manquait jamais de la taquiner gentiment au sujet de sa petite piscine.

Alors, comment expliquer la peur qui lui nouait l'estomac ? Il se faisait l'effet d'un collégien se rendant à son premier rendez-vous. Il emmenait au spectacle une femme qu'il connaissait depuis quatre ans et voilà qu'il tremblait comme une feuille. C'était absurde !

L'était-ce vraiment ? Il avait tout de même de bonnes raisons d'être anxieux. Stéphanie l'avait invité en toute amitié — Dieu que c'était frustrant — mais c'était malgré tout la première fois qu'ils se retrouvaient pour passer une soirée en tête à tête. L'occasion rêvée de changer la nature de leur relation s'offrait enfin à lui.

Il venait de passer une des plus épouvantables semaines qu'il ait vécues depuis qu'il la connaissait. Il n'avait pas cessé une seconde de penser à elle. L'image de Stéphanie en maillot de bain moulant, en robe du soir au décolleté plongeant, ou même nue, l'avait hanté de jour comme de nuit. Il brûlait du désir de découvrir ce corps s'offrant enfin à lui...

Neil se mordit la lèvre. Il fallait absolument qu'il mît un terme à ses rêves éveillés. Il inspira profondément et se plongea dans une réflexion sur des problèmes de tactique de football. Le meilleur moyen d'enrayer son désir était encore de réfléchir à des doubles passes croisées...

Il avait retrouvé son sang-froid en arrivant chez elle. Quand elle lui ouvrit la porte, Neil sentit son cœur s'emballer. Elle était plus belle que jamais! Elle portait un long fourreau noir qui découvrait la ligne fine de ses épaules et épousait admirablement ses formes douces et pleines.

Ils allèrent dans le salon où il fit appel à toute sa volonté pour ne pas dévorer de baisers ses ravissantes épaules nues. Il ferma les yeux un instant. Il entendit la voix suave de Stéphanie lui demander :

— Voulez-vous boire quelque chose avant que nous nous mettions en route ?

— Non merci, répondit-il d'une voix sourde.

Elle se retourna, soudain inquiète.

— Qu'est-ce qui ne va pas ?

Il s'éclaircit la gorge pour lui dire sur le ton de la plaisanterie :

— Ce n'est rien. Votre beauté m'a tout simplement coupé le souffle.

Elle eut un rire cristallin.

— Vous êtes bien galant ce soir.

— Moi qui croyais l'avoir toujours été !

Stéphanie s'empara de son sac et d'un grand châle noir. Neil le lui prit des mains et en drapa ses épaules. Le délicieux parfum qui émanait d'elle l'enivra.

— Où allons-nous ? demanda Stéphanie en montant dans la voiture.

— A l'Aigle d'Or, si cela vous convient.

— Tout à fait.

C'était un restaurant renommé pour son excellente cuisine. Il était situé au dernier étage d'un gratte-ciel d'où l'on jouissait d'une vue imprenable sur Phoenix. Le repas fut exquis. Ils dînèrent en devisant gaiement comme à leur habitude. Toute à la joie de se retrouver en compagnie de Neil, elle ne prêta aucune attention à l'étrange lueur qui traversait parfois son regard et éveillait en elle une mystérieuse émotion.

L'heure de la représentation approchait. Neil régla la note et ils se dirigèrent vers les ascenseurs. Dans la cabine bondée, Stéphanie sentit le souffle chaud de Neil lui parcourir la nuque ; son cœur s'affola. Quelqu'un bougea à côté d'elle et elle dut se rapprocher encore un peu plus de son compagnon. Leurs jambes se touchèrent ; Stéphanie ne put ignorer le tressaillement de ses muscles puissants.

Elle vit s'ouvrir les portes de l'ascenseur avec soulagement, sortit en toute hâte. Elle se sentait totalement désarmée devant cet homme qu'elle connaissait pourtant depuis longtemps. Neil la prit par la taille et l'escorta jusqu'à la voiture. Ses jambes se dérobèrent sous elle. Elle se demanda comment il réagirait si elle appuyait sa tête contre son épaule.

Dans la voiture, elle ne lui parla que pour lui indiquer le chemin du théâtre. Elle redoutait trop que sa voix ne trahisse son émoi. Elle frissonnait malgré la douceur du soir. Que lui arrivait-il ?

Ils eurent du mal à trouver une place près du théâtre et ils arrivèrent juste au moment du lever de rideau. La troupe jouait un charmant divertissement dont l'intrigue reposait sur une série de quiproquos amoureux. A la simple vue d'un baiser passionné sur scène, Neil sentit son corps se transformer en un brasier ardent. La pression du bras de Stéphanie contre le sien sur l'accoudoir exacerba son désir. Comment était-il possible qu'elle ne remarque rien ? Il ignorait qu'elle-même était profondément bouleversée par ce baiser de théâtre...

Des scènes de pure comédie suivirent et Neil concentra son attention sur l'intrigue. Mais, au milieu de la première partie, le héros offrait un manteau de fourrure à son amie. Son esprit fut alors accaparé par un souvenir amer. Deux ans auparavant, la supercoupe s'était jouée dans un tout nouveau stade en plein air de Chicago, où il faisait un temps glacial. Stéphanie avait accompagné Tim pour assister à ce match décisif. Elle s'était plainte du froid et il lui avait offert un magnifique manteau de renard roux.

Ce soir-là, ils s'étaient donné rendez-vous au bar de leur hôtel. Descendu le premier, Neil fut rapidement rejoint par Tim qui lui annonça que Stéphanie aurait un peu de retard. Un quart d'heure plus tard, elle apparut enfin. Elle portait son manteau de fourrure dont le pelage fauve apportait un éclat particulier à son visage. Ses cheveux cuivrés qui tombaient en vagues somptueuses sur la fourrure lui donnaient un charme sauvage, irrésistible. Tandis qu'elle se blottissait tendrement contre Tim, une sombre rage s'était emparée de Neil à la vue du couple parfait qu'ils formaient.

Neil avait complètement perdu le fil de la pièce. Il voyait défiler sans cesse dans sa mémoire l'image de Stéphanie enveloppée dans la fourrure soyeuse, le visage illuminé d'une satisfaction presque enfantine.

Jamais encore il n'avait ressenti si fortement son attirance pour elle. Comment faire pour affronter en toute sérénité le regard de Stéphanie, à l'entracte ? Il était possédé par le violent désir de l'enlacer et de la couvrir de baisers. Cependant, il n'était pas question qu'il laisse libre cours à ses pulsions : Stéphanie n'y comprendrait rien et ne manquerait pas d'y voir une trahison dans leurs rapports de profonde amitié et de confiance. Il devait à tout prix réfréner sa passion. Mais réussirait-il à lui cacher plus longtemps qu'elle le rendait fou ?

Chapitre 5

Les lumières se rallumèrent. Aussitôt, Stéphanie s'occupa à réunir ses affaires afin d'éviter le regard de Neil. La dernière scène l'avait ramenée au jour où Tim lui avait offert son manteau de renard à Chicago, peu avant la supercoupe. Ils s'étaient disputés quand elle lui avait reproché de faire des dépenses inconsidérées. A quoi lui servirait un manteau de fourrure en Arizona alors que la température descendait rarement au-dessous de trente degrés ?

Elle avait fini par éclater en sanglots et Tim était descendu rejoindre leurs amis avant elle. Sa colère passée, les traces de sa crise de larmes effacées, elle avait mesuré combien il était stupide de s'emporter de la sorte. Tim avait acheté ce manteau pour lui faire plaisir et voilà comment elle le remerciait, lui qui avait besoin de plus grand calme dans la perspective du match !

Elle revêtit donc son renard et l'arborait fièrement quand elle retrouva Tim et leurs amis. Le soir même, plus aucune ombre ne ternissait leur entente, et leur réconciliation fut tout à la fois tendre et passionnée.

Cette soirée restait gravée dans son souvenir. Tim en était le personnage principal. Mais Neil était déjà là. Il avait assisté à la scène comme un témoin privilégié. Peut-être même s'en souvenait-il encore ? Elle n'osa le regarder de peur qu'il ne lise dans ses pensées. Ils allèrent au premier étage où se trouvait dressé un buffet. Neil partit chercher des rafraîchissements. Stéphanie tenta de repérer Claire dans la foule animée. Elle l'aperçut qui discutait avec un petit groupe d'amateurs éclairés. Le teint très mat, les cheveux blond platine, elle portait une robe brodée de paillettes argentées qui lui seyait à ravir. Tout en elle exprimait une élégance raffinée.

A la suite de son divorce avec un riche médecin, deux ans plus tôt, elle était revenue à l'une de ses passions de jeunesse : le théâtre. Elle recevait une confortable pension de son mari ainsi qu'une rente qui lui venait d'une société fondée par son grand-père, ce qui lui aurait permis de ne pas travailler si elle l'avait souhaité.

Neil réapparut avec leurs boissons et Stéphanie l'entraîna par le bras.

— Venez, je veux vous présenter Claire Webner.

— La directrice du théâtre ?

— Oui.

Claire aperçut Stéphanie et la salua d'un grand geste de la main.

— Je suis si contente que vous soyez venue, s'écria Claire en s'approchant d'eux.

Stéphanie lui présenta Neil et fut amusée par le discret signe d'approbation que Claire lui fit. Claire adorait s'occuper de la vie sentimentale de ses amis ; c'était par son intermédiaire que Stéphanie avait rencontré Ron Porter. Stéphanie devinait que, ravie de la voir en si bonne compagnie, elle ne tarderait pas à l'appeler pour en savoir plus. Elle était si friande de confidences ! Stéphanie eut un petit sourire amusé à l'idée de la déception de Claire quand elle lui apprendrait la vérité.

Ils discutèrent de la pièce puis Claire, sollicitée de toutes parts, les quitta. Ils parlèrent de tout et de rien. Stéphanie sentit qu'une gêne inhabituelle régnait entre eux. Neil semblait étrangement nerveux, un peu comme Tim qui était toujours incapable de rester en place, et une lueur sauvage brillait dans ses yeux. Sa sérénité paraissait s'être totalement évanouie. Les rares fois où elle l'avait vu aussi tendu, c'était lors de matchs, quand, pris dans le feu de l'action, il passait le ballon à Tim ou à Asa ; ou encore quand, à trois heures du matin, après une soirée, il proposait à Tim de faire une course.

Profondément troublée par l'expression de Neil, Stéphanie fut saisie par un sentiment d'appréhension mêlé de méfiance. Que savait-elle de lui en réalité ? A certains moments, elle avait l'impression de le connaître depuis toujours mais, à d'autres, il lui semblait se trouver face à un parfait inconnu.

Quand une sonnerie annonça la reprise du spectacle, Stéphanie rejoignit avec soulagement l'atmosphère feutrée de la salle.

Neil, qui s'était ressaisi pendant l'entracte, put mieux apprécier l'humour de la pièce pendant la seconde partie. Dans la scène finale, un couple valsait lentement au rythme langoureux de la musique afin de provoquer la jalousie de deux autres personnages. Au moment où le danseur murmurait tendrement son nom à l'oreille de sa partenaire, Neil vibra d'un violent désir de prendre Stéphanie dans ses bras. Il se mordit la lèvre pour ne pas laisser échapper l'expression de son désir.

Il perdait la raison. Comment un baiser simulé sur une scène de théâtre pouvait-il attiser une telle fièvre en lui ? Il rêvait de sentir les lèvres de Stéphanie contre sa bouche pressante, exigeante. Il voulait couvrir son corps de baisers, sentir sous ses mains les formes délicieuses de sa poitrine offerte à ses caresses.

Il ferma les yeux et se fixa un plan de conduite. Aussitôt la pièce terminée, il raccompagnerait Stéphanie chez elle et s'attarderait le moins possible. Ce soir, il risquait fort de perdre tout contrôle de lui-même...

Sur le chemin du retour, un silence pesant régnait dans la voiture. Stéphanie regarda Neil à la dérobée. Etait-il en colère ? Il conduisait, figé dans une attitude froide et lointaine. Avait-elle dit ou fait quelque chose qui l'aurait fâché ? Elle eut beau chercher, elle ne trouva aucune raison à son silence. En fait, en y réfléchissant bien, elle avait senti une étrange tension s'installer entre eux dès son arrivée chez elle. A un certain moment de la pièce, l'actrice qui jouait le rôle principal recevait un tendre baiser et elle avait imaginé la bouche de Neil sur sa nuque, son souffle chaud sur sa peau. Avait-il perçu son trouble ? Etait-ce pour cela qu'il se tenait silencieux ?

Elle voulait que leur relation resta platonique, mais comment le lui dire ? Comment faire pour aborder un sujet aussi délicat ? D'autant plus que, s'il n'avait rien remarqué, elle courrait le risque de détruire leur amitié. Elle sortait d'une longue période de solitude et, si elle rêvait de Neil, c'est parce qu'elle savait pouvoir le faire en toute quiétude. Neil ne s'intéressait pas à elle. Le temps passant, elle serait sensible au charme d'autres hommes et leur relation reprendrait son cours normal.

A peine l'eut-il raccompagnée à sa porte qu'il prit congé d'elle. Elle le regarda partir puis rentra dans la maison. Fébrilement elle erra de pièce en pièce sans retrouver son calme. Elle décida d'aller dans le patio. Quand elle sortit, elle fut frappée par la lumière irréelle qui baignait le jardin. C'était la pleine lune. Ne disait-on pas qu'elle rendait fou ? Elle eut un petit sourire. Voilà pourquoi la soirée avait été si tendue !

Elle ôta ses chaussures et releva sa robe pour s'asseoir au bord de la piscine, les pieds dans l'eau.

L'image de Neil s'imposa doucement à son esprit et son cœur battit la chamade. Son sourire était si séduisant ! La puissante sensualité qui émanait de sa beauté ténébreuse l'attirait irrésistiblement. Elle frissonna délicieusement quand la vision de Neil en maillot de bain surgit de sa mémoire. Son torse musclé, recouvert d'une épaisse toison sombre, semblait l'inviter aux caresses les plus folles.

Le grincement de la grille du jardin la fit soudain sursauter. Les nerfs à vif, elle se retourna et découvrit une forme sombre qui l'observait dans l'obscurité. Au moment où elle allait bondir vers la maison, la silhouette sortit de l'ombre : c'était Neil !

— Neil, mais que faites-vous là ? Vous m'avez fait une peur bleue !

Sans répondre, il vint vers elle. Elle frémit, partagée entre l'attente et l'appréhension. Le visage de Neil, éclaboussé par les rayons de lune, exprimait une passion sauvage.

Il la saisit aux épaules et lui dit d'une voix rauque :

— Je n'ai pas pu... Je n'ai pas pu vous quitter sans...

Ses mots s'étouffèrent. Stéphanie sentit son souffle chaud courir sur sa joue juste avant qu'il ne prenne ses lèvres en un baiser brûlant. Elle frissonna de tout son être. Personne, même Tim, ne l'avait jamais embrassée ainsi. Elle referma les bras sur lui et un violent frisson le secoua. Il la plaqua contre lui ; elle s'émut de la chaleur de son corps. L'étreinte de Neil avait la force du désespoir et son souffle haletant communiquait sa fièvre. Stéphanie s'agrippa à lui, tout entière abandonnée à ce désir qui anéantissait sa volonté.

Tandis que des feux qu'elle croyait depuis longtemps éteints renaissaient en elle, Neil enfouit fébrilement ses doigts dans la masse cuivrée de sa chevelure et laissa courir ses mains insatiables sur sa nuque, sa gorge, ses seins. Elle fut emportée par l'ivresse de ses caresses. Jamais personne n'avait suscité tant de passion en elle.

— Stéphanie, Stéphanie... murmura-t-il.

Puis elle sentit sur sa joue son souffle brûlant. Il lui mordilla l'oreille. Une fièvre dévorante montait en lui. Quand elle lui effleura la nuque, il frémit de tout son être.

Il glissa ses doigts sur la peau soyeuse de sa gorge et enferma ses seins parfaits dans la coupe caressante de ses mains. Stéphanie chavira en poussant un petit cri. Les doigts souples, sensuels de Neil coururent sur ses hanches pour mieux la plaquer contre lui et la force brutale de son désir s'imposa à elle.

Elle prit soudain peur. Que savait-elle de cet autre Neil ? Elle était dans ses bras mais elle ne connaissait rien de lui. Comment pouvait-elle prévoir ses réactions alors qu'il n'était plus maître de lui-même ?

Elle se raidit et murmura d'un ton implorant :

— Neil, arrêtez, je vous en prie.

Il ne relâcha pas son étreinte et elle fut saisie de panique.

— Non, Neil !

Il s'immobilisa, la dévisagea longuement.

Puis, la mâchoire crispée, il lui répondit :

— Vous avez raison, je n'aurais pas dû.

Sa folie lui sauta aux yeux. Il s'était précipité sur elle et avait ruiné toutes ses chances en ne maîtrisant pas son impatience.

Il ajouta, d'un ton brusque :

— Je m'en vais Stéphanie. Au revoir.

Il disparut dans la nuit. Profondément bouleversée, Stéphanie le laissa partir sans un mot. Mécaniquement, elle marcha jusqu'à la maison, plongée dans un chaos d'émotions qui l'empêchaient totalement de réfléchir.

Elle se coucha mais ne put trouver le sommeil. Les images troublantes de leur étreinte défilaient sans cesse dans son esprit.

Neil lui était apparu sous un jour si nouveau ! Comment croire que, pendant tant d'années, il ait pu dissimuler à tous une nature si passionnée ? Que lui était-il arrivé ce soir ? Etait-ce la pièce de théâtre ou la pleine lune qui avaient libéré le torrent impétueux de ses émotions ?

Mais sa propre réaction l'intriguait encore plus. Par quelle magie Neil avait-il suscité en elle un tel émoi ? Ses baisers avaient suffi à l'emporter dans un monde merveilleux. Jamais, avec Tim, elle n'avait éprouvé quelque chose de semblable.

Le cœur battant, elle retourna mille fois les mêmes questions. Comment oserait-elle jamais le revoir ? Regretterait-il ce qui s'était passé ? A l'idée qu'il chercherait peut-être à éviter de la rencontrer désormais, son cœur se serra. A moins que, tout au contraire, il ne tente d'aller plus loin ?

Mais ses questions restèrent sans réponse. Comment aurait-il pu en être autrement ? Elle ne savait rien de ce que Neil éprouvait pour elle, ni de ses intentions. Ce soir, toutes les certitudes qu'elle avait à son sujet s'étaient effondrées. Elle ignorait visiblement tout de lui, bien qu'ils soient amis depuis de longues années. Il valait mieux qu'elle dorme plutôt que de se torturer l'esprit. Un long moment s'écoula avant qu'elle ne trouve le sommeil.

Le lendemain, contrairement à son habitude, elle se leva sans peine. Elle nagea dans une douce euphorie et se doucha en chantonnant. Puis elle prit son petit déjeuner en feuilletant le journal. Pour la première fois depuis des mois, elle s'intéressa à la rubrique sportive. L'équipe des Arizona Apaches partait la semaine suivante pour le camp d'entraînement estival.

Donc Neil s'en allait d'ici quelques jours. Il n'aurait pas beaucoup de temps à lui consacrer avant son départ et ne serait pas de retour avant un mois. On n'aurait pas pu rêver pire emploi du temps ! Elle se demanda si cela préoccupait aussi Neil ou s'il considérait son départ comme un bon moyen de se sortir d'une situation délicate.

Elle fronça les sourcils. Il fallait qu'elle cesse de penser à Neil Moran. A quoi bon se perdre en spéculations inutiles ? Elle verrait bien s'il l'appelait ou pas.

Elle se leva d'un bond pour couper court à ses pensées, débarrassa la table de son petit déjeuner et se servit une tasse de café qu'elle emporta dans son bureau. Elle parcourut plusieurs dossiers avant de sélectionner quatre articles qui lui semblaient intéressants. Son but n'était pas de trouver immédiatement le sujet idéal, mais de se replonger dans le travail d'écriture en définissant les grandes lignes de sa revue de presse. Elle commença à écrire et remarqua que l'un des sujets serait susceptible de convenir au magazine *Southwest* pour lequel elle avait déjà travaillé à de nombreuses reprises.

Après une heure de réflexion, des recherches supplémentaires s'imposèrent. Il fallait qu'elle commence par aller à la bibliothèque. Elle hésita un instant à sortir de chez elle. Et si Neil appelait pendant son absence ? Elle se raisonna en se disant qu'il rappellerait s'il désirait vraiment la voir.

Elle trouva des informations intéressantes en bibliothèque ; le jour suivant, elle se rendit aux archives du *Southwest*, toujours en quête de renseignements. Malheureusement elle ne trouva pas ce qu'elle cherchait. Cette chasse aux informations était toujours un peu fastidieuse mais elle débouchait sur la partie la plus passionnante de son travail : les interviews. Elle rentra chez elle, heureuse d'avoir si bien travaillé. Ce livre ne serait sûrement pas le meilleur, le plus polémique ou le plus touchant qu'elle écrirait mais, pour l'instant, le fait qu'elle se soit remise au travail comptait plus que tout.

Elle entendit le téléphone sonner en ouvrant sa porte et se précipita sur le combiné.

— Allô ?

— Stéphanie ? C'est Neil.

Son cœur bondit de joie.

— Neil, comment allez-vous ?

— Bien. Je voulais savoir si vous étiez chez vous ce soir, car j'ai trouvé quelque chose qui devrait vous intéresser.

— Ah oui ? Quoi donc ?

— Un sujet de livre. Mais c'est bien trop passionnant pour que je vous en parle au téléphone. Vous en jugerez par vous-même.

— Entendu. Passez quand vous voulez.

— Disons dans une heure.

— Voulez-vous dîner avec moi ?

— Non merci, c'est déjà fait.

Il hésita un instant puis poursuivit :

— Stéphanie, j'espère que je ne vous ai pas fait trop peur l'autre soir.

— Non... enfin si... un petit peu.

Il eut un rire étouffé.

— Je demanderai les circonstances atténuantes ; je dirai aux autorités que vous m'avez rendu fou de désir.

Stéphanie rit à son tour, contente qu'ils puissent parler si librement. Leur amitié allait reprendre le dessus. Etait-ce pour sceller le retour à la normale de leur relation que Neil voulait la voir ? A cette pensée, sa poitrine se noua.

— Alors, à tout à l'heure.

Stéphanie raccrocha. Elle jeta un coup d'œil à son jean et à son tee-shirt. Neil l'avait souvent vue habillée ainsi mais elle voulait être plus présentable pour le recevoir. Elle enfila une robe de coton simple et décontractée et dîna légèrement de fromage et de fruits. Elle était impatiente de savoir quel sujet Neil lui avait trouvé.

Son cœur battit à grands coups quand elle l'entendit arriver. Elle alla lui ouvrir en ébauchant un sourire timide.

— Bonsoir, Neil.

— Bonsoir.

Il hésita un peu avant d'entrer et lui tendit un journal.

— Tenez, voilà l'article. Je l'ai trouvé hier dans le journal de Tucson, et, comme je pars demain, je me suis dit qu'il fallait que je vous l'apporte.

— Vous partez demain ? Je croyais que l'entraînement ne débutait que la semaine prochaine...

— C'est exact, mais je vais en Louisiane assister au mariage de ma sœur, Karen.

— Je ne savais pas que vous aviez une sœur.

— Mais si ! Elle est chimiste à La Nouvelle-Orléans.

— Je ne m'en souvenais plus. Vous parlez beaucoup plus souvent de votre frère.

— C'est un peu normal. Charles et moi sommes très proches.

— Eh bien, entrez donc. Désirez-vous boire quelque chose ?

Il déclina son offre et ils s'assirent, un peu guindés, lui sur une chaise et elle dans le canapé. Stéphanie jeta un coup d'œil au quotidien.

— Comment se fait-il que vous receviez le journal de Tucson ?

— Je possède un bout de terrain là-bas et je me tiens au courant de ce qui s'y passe. Ils habitent à Tucson.

— Qui donc ?

— Les personnages de l'histoire.

Stéphanie regarda plus attentivement l'article qu'il avait entouré. Il n'y avait aucune illustration, on pouvait simplement lire :

L'HÉRITIÈRE DES WILLOUGHBY SE MARIE.

Elle lui lança un regard interrogateur.

— Un mariage ?

— Lisez donc et vous verrez.

Stéphanie lui obéit docilement. On apprenait, en peu de mots, que Marianne Willoughby, vivant à Tucson, allait épouser William Hammond, de Caulfield, dans le Massachusetts. Le futur marié était un parent éloigné des Willoughby ; quant à la mariée, elle était la fille de Bernard Willoughby et d'Angela Drake. Ce dernier détail éveilla sa curiosité. Angela Drake avait été une actrice célèbre dans les années cinquante. Il était arrivé quelque chose à sa fille mais Stéphanie ne se rappelait plus quoi. L'article n'en disait pas plus. Elle fouilla dans sa mémoire et regarda Neil, qui était absorbé dans ses propres pensées.

Elle s'écria soudain :

— Le kidnapping ! Mais oui, je m'en souviens maintenant. Angela Drake avait une fille qui a été kidnappée. C'est bien cela ?

Neil lui sourit.

— Bravo ! Je n'étais pas certain que vous vous en souviendriez. Vous n'étiez qu'une enfant à l'époque.

— Je devais avoir onze ou douze ans, mais cette affaire a fait la une des journaux. Angela Drake avait, je crois, épousé un riche héritier.

— Exact. C'était un Willoughby. Il appartenait donc à une vieille famille de Nouvelle-Angleterre qui avait fait fortune dans le textile. Mais Angela était loin d'être pauvre, elle-même.

— L'auteur du kidnapping avait demandé une rançon d'un demi-million de dollars, si j'ai bonne mémoire.

— C'est à peu près cela. La somme était énorme pour l'époque ! Ils avaient versé l'argent et avaient retrouvé leur enfant saine et sauve. Puis la police avait arrêté l'auteur du kidnapping.

Stéphanie battit des mains.

— Rodriguez ! C'est le cas Rodriguez, qui est devenu aussi célèbre que l'affaire du kidnapping. A la suite d'un faux témoignage, Rodriguez avait été accusé à tort. Quelques années plus tard, la servante des Willoughby avait avoué qu'elle avait menti pour aider le véritable coupable qui était son ami, à l'époque.

Neil acquiesça.

— Ce fut une histoire incroyable. Une gigantesque chasse à l'homme s'organisa mais il fallut quatre ans à la police pour mettre la main sur le vrai kidnappeur. Cela fit un joli remue-ménage. Mais, dites-moi, n'êtes-vous pas étonnée qu'ils n'aient pas publié de photographie de Marianne Willoughby pour annoncer son mariage ?

— Oui, c'est étrange...

— En fait, on ne dispose d'aucune photographie d'elle depuis son enlèvement.

Stéphanie leva un sourcil.

— Vraiment ? Elle n'aurait plus été photographiée par peur d'un nouveau rapt ?

— Toutes les apparences le laissent penser. Avez-vous entendu parler de la Forteresse, près de Tucson ?

Elle hocha la tête.

— Eh bien, c'est la demeure de Bernard Willoughby. Il l'a achetée après le drame ; il y vit toujours, avec sa fille. Sa femme et lui ont divorcé deux ans plus tard et il a obtenu la garde de Marianne. Angela Drake vient de temps en temps voir sa fille mais Marianne ne se déplace jamais. Elle ne sort pratiquement pas. Visiblement, ils ont eu peur pour elle quand on a su que le vrai coupable courait encore.

— La pauvre ! C'est vraiment l'histoire de la Belle au Bois Dormant.

— Et le prince charmant, William Hammond, va bientôt venir la réveiller.

— Un parent éloigné, dit Stéphanie sur un ton songeur. Combien croyez-vous qu'elle ait rencontré d'hommes dans sa vie, si elle est ainsi cloîtrée ?

— Fort peu et l'on s'interroge. L'aime-t-elle vraiment ? A-t-elle eu le choix ?

— Oh, Neil ! C'est un sujet en or. Tout y est : grande famille, intrigue, richesse, crime et même procès. Je crois que vous avez mis le doigt sur une histoire exceptionnelle. Mais que savez-vous sur cette Forteresse ?

— Quand j'ai lu l'annonce dans le journal, le nom des Willoughby me disait quelque chose mais je n'arrivais pas à plus de précision ; puis je me suis souvenu d'un article que j'avais lu dans les premiers temps de mon installation à Phoenix. C'était dans un magazine de la région, sans doute le *Southwest Style*, il y a environ quatre ans. En tout cas, on y faisait une description détaillée de la Forteresse. Elle est située en plein désert, à l'écart de toute route. La propriété est protégée par une barrière électrifiée et un garde surveille l'entrée en permanence. La nuit, ils lâchent une meute de dobermans dressés pour l'attaque. Et puis, à l'intérieur de la propriété, ils ont construit un mur en brique de trois mètres de haut, comme deuxième protection. Sans compter que la maison est munie d'un signal d'alarme et que le chauffeur est un garde du corps musclé. On sait, par les représentants des magasins qui vont montrer leurs vêtements à Marianne, qu'il y a deux piscines, un court de tennis, une salle de jeux et même une petite salle de projection privée.

— Quelle drôle de vie elle a dû mener ! Je n'arrive pas à imaginer qu'on puisse ne jamais sortir de chez soi.

Elle appuya ses coudes sur ses genoux et cala sa tête entre ses mains.

— J'irai dès demain au journal rechercher cet article.

Elle lui adressa un grand sourire.

— Neil, ce pourrait bien être mon meilleur livre.

Il lui rendit son sourire.

— Je l'espère pour vous.

Maintenant qu'ils avaient épuisé le sujet, ils étaient mal à l'aise et ne savaient plus que se dire. Neil étudiait ses mains avec application.

— Stéphanie, au sujet de l'autre soir...

Elle sentit sa gorge se nouer.

— Je ne voulais pas vous effrayer.

— Je sais, Neil. Ce n'est pas grave.

Il la regarda droit dans les yeux.

— Mais n'attendez pas de moi que je m'excuse. J'avais vraiment très envie de vous embrasser.

Un faible sourire se dessina sur son visage.

— Et je suis prêt à recommencer sur-le-champ.

Stéphanie en eut le souffle coupé. Elle s'entendit répondre comme dans un rêve :

— Eh bien, qu'attendez-vous ?

Il la saisit aux poignets pour l'attirer vers lui et la

fit asseoir sur ses genoux. D'un bras protecteur il entoura ses épaules puis, dans un geste très doux, sa main lui effleura le menton et sa bouche vint prendre la sienne.

Chapitre 6

Les lèvres de Neil étaient chaudes, caressantes, et Stéphanie sentit un flot d'émotions trop longtemps contenues exploser dans sa poitrine. Du bout de la langue, il dessina les contours exquis de sa bouche. Elle entrouvrit les lèvres, s'offrant à ses baisers. Il ne voulait rien laisser paraître de son émoi pour ne pas l'effrayer, mais son souffle brûlant trahissait le feu intérieur qui le dévorait. Il n'avait jamais autant désiré une femme.

Il goûta avec volupté au nectar de sa bouche et ses mains explorèrent sensuellement les creux de sa gorge. Elle chavira sous sa caresse et se retint aux pans de sa chemise. Délaissant sa bouche, il fit lentement glisser ses lèvres sur sa joue avant de taquiner tendrement le lobe délicat de son oreille.

Il la pressa contre lui, souleva la masse cuivrée de ses cheveux. Sa bouche parcourut la peau douce et sucrée de son cou ; Stéphanie sentit une onde de chaleur exquise déferler le long de sa nuque.

— Arrêtez, Neil, vous me faites perdre la tête.

— Quel mal y a-t-il à cela ? lui murmura-t-il.

Elle s'arracha à son étreinte et il ne tenta pas de la retenir.

— Je ne peux pas... Je ne suis pas prête à me donner totalement. Et surtout pas à vous.

Le visage de Neil s'assombrit.

D'une voix pleine d'émotion contenue, elle lui demanda :

— Cela ne vous gêne pas vis-à-vis de Tim ?
— Si, bien sûr ; mais cela ne m'empêche pas d'avoir follement envie de vous.
Elle inclina légèrement la tête pour mieux l'observer.
— Comment pouvez-vous être aussi sûr de vous ? Tout cela est si nouveau, si déconcertant. Vous savez, j'ai l'impression de tromper Tim. Je me sens terriblement coupable.
Neil ferma les yeux et lui dit d'un ton las :
— Je comprends... D'ailleurs, je ne vous forcerai pas.
Il rouvrit les yeux, chercha son regard.
— Je veux que vous soyez totalement consentante. Nous attendrons...
Il lui prit la main, en caressa tendrement la paume. Elle sentit une douce langueur l'envahir.
— Neil...
— Oui ?
Il la fixait avec une étrange intensité qui l'alarma. Neil allait toujours au bout de ce qu'il entreprenait. Serait-il prêt à renoncer à elle, si elle le lui demandait ?
— Je ne me sens plus capable d'avoir une relation amoureuse.
— Vous voulez dire que vous pensez ne plus jamais aimer qui que ce soit ?
— Je ne sais pas. Pour l'instant, je me sens impuissante à éprouver le moindre sentiment.
D'une voix sèche, il affirma :
— Il est inutile d'en faire un drame, Stéphanie. Ce ne sera pas la première fois que je tirerai un trait sur une histoire de cœur.
Comme il lui en coûta de prononcer ces derniers mots ! Son vœu le plus cher était de la garder pour toujours. Mais comment le lui avouer sans qu'elle s'effraie, sans qu'elle prenne la fuite ?

Il poursuivit d'une voix peu assurée :

— Stéphanie, je ne veux savoir qu'une chose : l'autre soir, ai-je rêvé... ou étiez-vous aussi troublée que moi ?

Stéphanie ouvrit de grands yeux étonnés.

— Comment pouvez-vous en douter ? J'ai même été si fortement bouleversée que j'ai eu peur. Je ne tiens pas à m'engager trop vite. La mort de Tim m'a terriblement éprouvée et je ne veux pas souffrir, ni vous faire souffrir, en essayant de combler le vide qu'il a laissé dans ma vie. Me comprenez-vous ?

— Je crois. Vous ne vous sentez pas suffisamment sûre de vous pour vous lier à quelqu'un.

Elle poussa un soupir de soulagement.

— Je suis si contente que vous me compreniez.

Elle lui tendit une main tremblante.

— N'y pensons plus pour l'instant, vous voulez bien ?

— D'accord.

Il se leva et baisa tendrement sa main. Elle se sentit fondre.

— Eh bien, je crois qu'il vaut mieux que je parte avant que je ne me laisse aller à de nouvelles folies.

Stéphanie eut un petit rire nerveux.

— Vous ne trouvez pas étrange que nous soyons attirés l'un par l'autre maintenant, alors que nous nous connaissons depuis des années ?

— Oui, c'est vrai, dit-il en réprimant un sourire.

Il se pencha vers elle, déposa un baiser rapide et chaste sur ses lèvres.

— Nous ne nous reverrons pas avant un long moment. Je rejoindrai directement le camp d'entraînement en quittant la Louisiane.

— Je vois.

— Je vous appellerai, si vous le voulez bien.

Une lueur de joie traversa le regard de Stéphanie.

— Oh oui, donnez-moi de vos nouvelles !

— Comptez sur moi.

Il la dévisagea longuement puis annonça :

— Bien. Je m'en vais.

Elle écouta le bruit de ses pas résonner dans le hall d'entrée puis la porte claqua. Elle ne le reverrait pas avant plusieurs semaines. A cette pensée, son cœur se serra.

Les jours suivants, Stéphanie consacra tout son temps à la recherche de documents sur la famille Willoughby. Elle retrouva dans un premier temps l'article sur leur maison dans le désert. Puis, grâce à Phyllis Black, le responsable des archives au *Southwest Style* qu'elle connaissait depuis longtemps, elle eut accès à tous les articles sur les Willoughby. Celui concernant Bernard Willoughby l'intéressa tout particulièrement. Elle apprit qu'il appartenait à une vieille famille de Nouvelle-Angleterre qui avait fait fortune dans le textile, mais qu'il était maintenant à la tête d'un puissant consortium aux activités diversifiées, depuis l'électronique jusqu'à l'hôtellerie, et qui comprenait même une compagnie aérienne.

D'après les photographies, cet homme de quarante-cinq ans, aux traits accusés, en paraissait beaucoup plus. Sa femme, Angela Drake, était une jolie blonde pulpeuse aux cheveux courts, coupés au carré. Stéphanie trouva un récapitulatif complet de sa carrière cinématographique et de ses nombreux mariages tumultueux. Ces derniers documents étaient sur microfilms et, après une journée entière passée à les consulter, Stéphanie revint chez elle avec une terrible migraine.

Après avoir pris deux comprimés d'aspirine, elle s'allongea sur le canapé pour réfléchir à ce qu'elle avait appris. L'image de Marianne Willoughby commençait à prendre du relief dans son esprit. Très pâle et un peu chétive, elle était âgée de sept ans sur les photographies et son grand sourire confiant découvrait d'enfantines quenottes écartées. Les dents du bonheur, pensa Stéphanie. A cette idée, son cœur se serra. Comment imaginer que cette adorable enfant ait enduré la terrible épreuve d'un kidnapping, et qu'on ait ensuite voulu la protéger en l'isolant totalement du monde ?

Stéphanie tenait absolument à en savoir plus sur elle. Comment était-elle maintenant ? Que portait-elle ? Que pensait-elle ? C'était décidément un sujet passionnant !

La nuit suivante, Stéphanie rêva des Willoughby et décida, le lendemain matin, d'appeler Lucia, son éditeur, à New York. Celle-ci fut enthousiasmée par son sujet et lui donna immédiatement carte blanche. Du baume au cœur, Stéphanie décida de poursuivre ses recherches à Los Angeles, théâtre du rapt et du procès qui avait suivi. Elle fit sa valise et partit aussitôt en voiture.

A Los Angeles, elle passa la semaine à consulter les journaux de l'époque. Munie d'une valise pleine à craquer de notes et la tête bourrée d'informations, elle rentra le samedi suivant à Phoenix. Elle voulait classer ses documents et rédiger le plan du livre.

Le voyage fut fatigant et, en arrivant chez elle, elle commença par ôter ses chaussures puis alla dans la cuisine se servir à boire. Elle mit en marche la climatisation, se laissa choir sur le canapé du salon. Quelle semaine ! Elle avait tous les éléments d'une excellente histoire ; il ne lui restait plus qu'à les mettre en ordre.

Elle buvait tranquillement son gin tonic quand la sonnerie du téléphone retentit dans la cuisine. Dommage ! Elle n'avait vraiment pas envie de parler ce soir. A regret, elle alla décrocher le combiné.

— Allô ?
— Stéphanie ?
Elle reconnut la voix de Claire.
— Mais où étiez-vous passée ? Cela fait une semaine que j'essaie vainement de vous joindre.
— J'étais partie à Los Angeles faire des recherches pour un livre.
— Evidemment, c'est une excuse valable ! Mais vous m'avez fait mourir d'impatience. Je voulais tout savoir sur le magnifique chevalier servant qui vous accompagnait samedi dernier. J'ai souffert l'enfer à vous attendre.
Stéphanie répondit d'un ton moqueur.
— J'espère que cela ne vous a pas empêchée de dormir.
Claire étouffa un rire.
— Bien sûr que non. Mais dites-moi, qui était-ce ?
— Neil Moran. Enfin Claire, vous l'aviez déjà vu, non ?
— Mais pas du tout, ma chérie. Vous pensez bien que je me souviendrais de lui. Lui aussi est footballeur ?
— Oui, mais ne vous faites pas d'idées. C'est juste un ami.
— Que me racontez-vous là ? Comment peut-on être seulement amie avec un homme tel que lui ?
— C'est tout simple. C'est quelqu'un de très bien.
— Qui a de superbes yeux ténébreux et un corps d'athlète.
— Voyons, Claire ! répondit Stéphanie, amusée.
— Ecoutez-moi, Stéphanie. Si vous ne jetez pas votre dévolu sur lui, autant entrer dans les ordres.
— C'est un vieil ami de Tim. Il est quart arrière dans l'équipe des Apaches.
— Je ne pensais pas que les joueurs de football étaient si séduisants. Je les ai toujours imaginés un peu balourds, le nez cassé, le visage couvert de

cicatrices ! Vous pourriez peut-être me présenter d'autres joueurs de l'équipe ?

Stéphanie eut un éclat de rire.

— Vous êtes incorrigible. J'ai entendu dire que vous aviez trois amants en ce moment.

— Tous aussi inintéressants les uns que les autres. Vous savez, ce n'est pas si drôle d'être célibataire, surtout à trente-cinq ans. J'espère que vous éviterez de vous retrouver dans une semblable situation. Mais vous, c'est différent : les beaux ténébreux viennent vous chercher jusque chez vous !

— Vous exagérez.

— A peine... Et croyez-moi : en général c'est beaucoup moins simple. Les hommes qui s'intéressent à moi et qui me plaisent sont toujours mariés. Quant aux autres, quand ce ne sont pas de tristes figures, ils sont snobs, bizarres, ou manquent totalement d'humour.

— Inutile de m'énumérer leurs défauts. J'ai pu juger par moi-même en rencontrant Ron Porter.

Claire éclata de rire.

— Je suis désolée pour ce qui s'est passé. Je le croyais plus intéressant.

— Je ne vous en veux pas. Un jour, c'est moi qui vous ferai rencontrer quelqu'un.

— Vous devriez plutôt être plus soucieuse de votre vie sentimentale.

— J'essaie.

— Ah oui ? répliqua Claire d'un ton sceptique. Dans ce cas, je vous conseillerai de ne plus considérer Neil Moran comme un simple ami.

— Qui vous dit que je n'y pense pas ?

— Enfin des paroles raisonnables ! C'est la première sage résolution que je vous vois prendre depuis des mois.

— Parlez-moi de ce qui s'est passé après la générale ?

— Ah ! Vous changez de conversation, lui répondit Claire, ironique... Eh bien, suite aux bonnes critiques que les journaux nous ont consacrées, nous faisons salle comble tous les soirs.

Cette nouvelle ravit Stéphanie. Quand le mari de Claire, de quinze ans son aîné, l'avait quittée pour une femme plus jeune, elle avait été très éprouvée et toute sa confiance en elle avait disparu. Grâce au théâtre, elle avait retrouvé sa joie de vivre.

Elles prirent rendez-vous à déjeuner pour le jeudi suivant. Avant de la quitter, Claire avait prévenu Stéphanie qu'elle pouvait se préparer à subir un véritable interrogatoire sur ses relations avec son footballeur. Stéphanie haussa les épaules. Que pourrait-elle bien lui dire ? Elle n'en savait rien elle-même. Incontestablement séduisant, Neil avait éveillé en elle une passion que pas même Tim n'avait su faire naître. Néanmoins, une réelle anxiété la tenaillait ; elle avait si peur de faire fausse route. Elle ne voulait pas précipiter les choses pour finalement se rendre compte qu'elle s'était non seulement trompée, mais qu'en plus elle avait perdu un ami.

Elle en était là de ses pensées quand le téléphone résonna. Elle poussa un soupir d'exaspération et retourna dans la cuisine. Quand elle entendit la voix chaude et sensuelle de Neil, le cœur lui manqua. Il l'appelait avant même d'être arrivé au camp d'entraînement !

Elle s'efforça de rendre sa voix aussi neutre que possible.

— Neil, comment allez-vous ?

— Très bien. Je rentre tout juste du mariage.

— Oh ! Comment cela s'est-il passé ?

— Il n'y avait pas une seule jolie fille, à part une demoiselle d'honneur qui a massacré toutes les fleurs de son bouquet.

Stéphanie sourit.

— Vous souvenez-vous qu'à mon mariage ma petite cousine a arraché patiemment les pétales de toute une corbeille ? Elle devait bien s'ennuyer, la pauvre !

— Je m'en souviens parfaitement. Tim et moi l'avions observée sans qu'elle s'en rende compte.

Neil défit son nœud papillon et s'allongea sur le lit en calant le téléphone contre son épaule. Il laissa errer son regard sur le décor familier de sa chambre d'adolescent. Depuis son arrivée chez ses parents, il ne s'était pas passé une heure sans qu'il n'ait eu envie d'appeler Stéphanie, mais il s'était retenu de le faire. Enfin, ce jour-là, pendant le mariage de sa sœur, il avait décidé de la joindre. Il aurait tant voulu que Stéphanie partage avec lui l'émotion de la cérémonie. En fait, pendant tout le mariage religieux, il avait imaginé le déroulement de son propre mariage avec Stéphanie. Dès qu'il avait pu quitter la réception, il était revenu chez lui. Il ressentait le besoin impérieux de lui parler, de sentir sa présence.

Si elle avait été là, dans sa chambre, elle aurait pu voir la collection des coupes qu'il avait gagnées quand il était beaucoup plus jeune, et que sa mère avait religieusement conservées. Il lui aurait montré sa ville natale et ils se seraient longuement promenés sous le feuillage des vieux chênes de ses rues.

— Où en est votre travail ? lui demanda-t-il pour le simple plaisir de l'entendre parler.

La voix suave de Stéphanie, animée par le récit de sa semaine à Los Angeles, éveilla son désir. Comme il était heureux qu'elle émerge de l'apathie où l'avait plongée la mort de Tim. Sa nature enthousiaste reprenait enfin le dessus. Il l'imagina, les yeux brillants, les joues rosies et un éclair brûlant le parcourut. Dieu qu'il la désirait !

— Et vous, avez-vous passé une bonne semaine ? s'enquit-elle.

Sa question le ramena brusquement à la réalité.

— Oui, mais il ne m'est rien arrivé de particulier. J'ai revu ma famille, les amis qui habitent encore la région et je suis retourné en pèlerinage dans mes coins préférés. Pour tout vous dire, je suis allé me confesser hier soir.

— Vous confesser ! Le curé a dû en entendre de belles !

— Pas plus que lorsque j'étais collégien.

— J'ai vraiment du mal à vous imaginer dans un confessionnal.

— Vous autres protestants, que vous êtes puritains ! Chez nous, en Louisiane, personne n'échappe à la confession. Même si, enfant, on se fait un peu tirer l'oreille pour y aller. Je me souviens que ma mère nous menaçait d'une grande cuillère en bois si nous n'allions pas à confesse.

— Vous deviez être un sacré garnement.

— Pas du tout. J'étais un garçon très comme il faut.

— J'ai peine à vous croire. Je n'ai pas oublié les mauvaises blagues que vous et Tim faisiez au camp d'entraînement.

— Vous avez une fausse idée de moi.

— C'est possible, répondit-elle d'un ton dubitatif.

D'un ton grave, il poursuivit :

— Stéphanie, vous me manquez.

Le cœur battant, elle lui répondit :

— Vous me manquez aussi.

— Beaucoup ?

Elle laissa échapper un rire.

— Oui, beaucoup. Vous avez besoin d'être rassuré ?

— Oui. Surtout en ce moment. J'ai l'impression que le travail au camp va être particulièrement pénible.

Stéphanie ne savait que lui répondre. Elle était profondément émue par leur conversation ; c'était la première fois qu'ils discutaient de façon si intime. Elle ressentait une étrange langueur, mêlée d'appréhension.

— C'est incroyable mais... je ne sais pas quoi dire, murmura-t-il.

Il aurait tant voulu lui déclarer son amour ! Mais le moment n'était pas encore venu. Il s'éclaircit la voix et lui dit :

— Eh bien, il faut que je vous laisse. Je vous rappellerai du camp.

— Entendu. A bientôt.

Ils se quittèrent à regret. Elle resta longtemps pensive, la main posée sur le combiné. Neil revenait dans un mois : tout à coup, cela lui sembla une éternité.

Stéphanie s'attela de plus belle à sa tâche et commença à préparer ses interviews. Sa principale difficulté était de retrouver la trace des personnes qu'elle voulait voir. Le kidnapping avait eu lieu plus de quinze ans auparavant et la plupart des témoins avaient changé d'adresse. Le détective qui avait travaillé sur l'affaire à ses débuts avait pris sa retraite et quitté la Californie. Mais l'avocat de Rodriguez, qui l'avait défendu jusqu'à la cour d'appel, l'aida beaucoup dans ses recherches.

Elle avait peu de temps libre mais son travail la passionnait tellement qu'elle ne le regrettait pas. De plus, voilà qui lui évitait de trop penser à Neil. Le soir, elle était si fatiguée qu'elle s'endormait, dès qu'elle posait la tête sur l'oreiller.

Elle déjeuna avec Claire qui l'assaillit de questions sur Neil. Et puis ses parents lui téléphonèrent. Comme à son habitude, sa mère lui demanda des nouvelles de son travail, alors que son père voulut savoir si elle avait trouvé un ami... A sa grande surprise, Neil l'appela plusieurs fois par semaine. Il lui racontait les petits événements qui ponctuaient ses journées et elle prit l'habitude d'attendre ses coups de fil. Quand il ne l'appelait pas, elle était triste pour le reste de la soirée.

Mais grâce à son livre, les semaines passèrent plus vite qu'elle ne l'avait craint et ce fut bientôt le jour de la cérémonie. Elle avait lieu le samedi en soirée, pendant la mi-temps du premier match amical des Arizona Apaches. Il était prévu que l'équipe vienne spécialement en avion de Californie et qu'elle reparte au camp d'entraînement aussitôt après.

Le jeudi après-midi, elle retrouva Barbara Lang, la coordinatrice, au stade. Etaient également présents Russell et Wilfrid Ingram, les propriétaires de l'équipe, Karen Randall, la présidente de l'association des femmes de footballeurs et un représentant de l'hôpital. Barbara leur expliqua le déroulement de la cérémonie. Elle informa ensuite Stéphanie qu'une place lui était réservée dans la tribune privée des propriétaires et qu'elle passerait la voir pendant la première mi-temps pour s'assurer que tout allait bien.

Stéphanie se retira dès qu'elle le put. Déjà embarrassée à l'idée de devoir affronter la foule des spectateurs, voilà qu'en plus elle allait devoir assister au match en compagnie des Ingram. Cette perspective l'effrayait. Heureusement, Neil participerait à la cérémonie. Comme il serait doux de le revoir, ne serait-ce que quelques instants ! A cette pensée, son cœur battit plus fort.

Le samedi, elle erra toute la journée telle une âme en peine dans la maison. Elle était absolument incapable de se concentrer sur quoi que ce soit. Elle se prélassa dans son bain, essaya plusieurs coiffures et opta finalement pour un chignon classique, retenu bas sur la nuque. Elle se maquilla avec soin et se fit les ongles. Enfin, elle enfila une robe droite, noire, fermée sur les épaules par de petits boutons dorés. C'était une tenue sobre qui convenait parfaitement à la cérémonie.

L'heure était venue de se rendre au stade. Au parking, un gardien en uniforme vérifia son invitation et lui assigna une des places réservées aux hôtes d'honneur. Arrivée aux ascenseurs qui conduisaient aux tribunes officielles, un autre gardien lui indiqua comment rejoindre la tribune des propriétaires.

L'ascenseur monta sans bruit et les portes s'ouvrirent sur un corridor décoré aux couleurs de l'équipe. Elle chercha le numéro de la tribune des Ingram. C'était l'une des mieux situées, et il ne lui déplaisait pas de penser qu'elle jouirait d'un excellent point de vue sur le match.

Elle frappa doucement à la porte 113 ; un homme aux cheveux poivre et sel lui ouvrit. Il lui sourit et se présenta :

— Bonjour, je suis Brett Kingsley.

— Stéphanie Tyler.

Une voix derrière la porte s'écria :

— Stéphanie, venez donc !

Elle prit une profonde inspiration et entra.

Chapitre 7

L'immense salle était pleine de monde et des bruits de conversations fusaient en tous sens. Stéphanie regarda autour d'elle et aperçut au fond de la loge Russell Ingram qui lui faisait signe d'approcher. Il s'excusa auprès de ses amis et vint la rejoindre.

— Je vois, Brett, que vous connaissez déjà Stéphanie, notre invitée d'honneur. Stéphanie, vous êtes absolument ravissante. J'ai toujours envié Tim d'avoir une femme comme vous.

— Vous êtes la veuve de Timothy Tyler ? demanda Brett. Je suis ravi de vous connaître. J'étais un fervent supporter de votre mari.

Russell ajouta :

— Oui, sa mort nous a tous affligés. Venez, Stéphanie, que je vous présente à la compagnie.

Il passa un bras autour de ses épaules et l'entraîna. Stéphanie regarda avec intérêt autour d'elle. A l'avant, deux rangées de fauteuils en cuir dominaient le stade. Ils étaient éloignés les uns des autres de façon à ce qu'on puisse s'y glisser sans déranger ses voisins. Un bar en acajou occupait tout un côté de la tribune et un barman stylé veillait à satisfaire les désirs de chacun. Il surveillait également un buffet de petits fours, de fromages et de toutes sortes de fruits.

A l'arrière de la tribune, on avait installé un coin salon très confortable, à l'intention de ceux qui voulaient discuter en toute tranquillité. Ils pouvaient y converser sans gêner ceux qui suivaient le match. Ici et là, sur de petites tables basses, de somptueux cendriers en cristal brillaient de tous leurs feux. Chaque détail avait été pensé avec goût et contribuait à donner au lieu une atmosphère luxueuse. Deux postes de télévision encadrant la tribune permettaient, en outre, de revoir au ralenti les plus beaux moments du match.

Stéphanie se détendit. Tout compte fait, il n'y avait pas autant de monde qu'elle l'avait craint. Au plus, une quinzaine de personnes. Susan, la femme de l'entraîneur, discutait, assise sur l'accoudoir d'un fauteuil avec Winette, la femme d'Howard Perry et Laura Ingram. Elles portaient toutes des tenues du dernier cri. Stéphanie réprima un sourire en remarquant que Susan et Winette avaient pris soin de ne pas porter une tenue plus éblouissante que celle de Laura, la femme du propriétaire de l'équipe.

C'était un peu comme à l'armée, où les femmes de militaires se comportaient, s'habillaient et parlaient de façon différente selon le rang qu'occupait leur mari dans la hiérarchie. Mais Stéphanie, même du vivant de Tim, n'était jamais entrée dans ce jeu et avait gardé ses distances tout en restant cordiale et polie. Susan Cheyne la remarqua soudain, lui sourit et s'adressa à elle en imitant le ton un peu snob de Laura.

— Stéphanie, ma chère, comment allez-vous?

Stéphanie rejoignit leur petit groupe, fut accueillie par de grands sourires, accepta l'offre de Russell d'aller lui chercher un jus de fruits. Interrogée par Susan Cheyne sur son travail, elle fut ravie de pouvoir parler sans qu'aucun sentiment de mauvaise conscience ne vienne la troubler. Susan avait une mémoire absolument incroyable. Elle s'intéressait au moindre aspect de la vie des gens et avait toujours une parole aimable pour chacun. Elle formait un couple parfait avec Gene Cheyne qui usait autant de psychologie que de technique pure pour entraîner les joueurs.

Quand Russell lui apporta à boire, il était accompagné par une jeune femme. Stéphanie présuma que c'était sa dernière amie en date. Russell avait divorcé cinq ans plus tôt et, depuis, semblait grandement apprécier sa vie de célibataire.

— Stéphanie, avez-vous été présentée à Gloria Grenhaw ?

— Non, pas encore. Enchantée.

Gloria lui tendit une main un peu gauche. Beaucoup plus jeune que les autres femmes présentes, elle ne partageait visiblement pas leur souci de discrétion vestimentaire. Elle portait un ensemble de soie noir et blanc chatoyant, dont la veste se fermait par des brandebourgs dorés. Elle fit le tour des groupes avec Russell et Stéphanie. Quand ils arrivèrent à Howard Perry, Russell s'éloigna en compagnie de Gloria. Stéphanie se retrouva seule avec le directeur de l'équipe.

— Je suis heureux que Neil soit parvenu à vous convaincre. Il a dû être très persuasif.

— C'est le moins qu'on puisse dire.

Il s'avança vers les sièges de cuir situés à l'avant de la tribune.

— Voulez-vous vous asseoir ? Les joueurs entrent sur le terrain.

Stéphanie les observa et son cœur se serra. Instinctivement, elle chercha le numéro quatre-vingt-six mais ne le trouva pas. Cela l'étonna car, habituellement, tous les maillots qui allaient être utilisés pendant la saison l'étaient dès le premier match amical. Elle aperçut le numéro quatorze, celui de Neil. Elle se penchait pour mieux le voir quand Howard lui tendit une paire de jumelles qu'elle régla à sa vue pour voir apparaître avec netteté le visage de Neil. Il lui semblait si proche qu'elle eut envie de tendre le bras pour le toucher.

L'aisance de Neil et de Tim devant cinquante mille spectateurs l'avait toujours stupéfiée. Tim, avant les matches, était malade de peur mais, dès qu'il entrait sur le terrain, la présence de ses supporters lui redonnait confiance. Neil était totalement différent. Pour jouer, il faisait le vide en lui. Il tirait sa force de sa capacité de concentration, et non pas du public.

Elle étudia attentivement le visage de Neil. On lisait dans ses yeux sombres la rage de vaincre. Sa tenue matelassée lui élargissait les épaules et ne faisait qu'accentuer l'impression de puissance qui émanait de lui. Un doux frisson la parcourut. Comme elle aurait aimé qu'il ne retourne pas le soir même au camp d'entraînement ! Une petite voix lui disait que c'était mieux ainsi, mais elle sentait le flot de ses émotions emporter les barrières de la raison.

Les joueurs achevèrent leur échauffement et quittèrent le terrain. Le match allait bientôt commencer. Susan Cheyne l'invita à visiter sa tribune privée. Elle lui expliqua que son mari et Howard Perry avaient leur propre tribune d'où ils assistaient au match en compagnie de leur famille et de leurs amis, mais que c'était l'usage qu'ils saluent les Ingram avant le match. La tribune des Cheyne, plus petite que celle des Ingram, bénéficiait, cependant, d'une décoration plus chaleureuse, plus intime. Il n'y avait pas de personnel mais un magnifique service à café et d'appétissants gâteaux étaient à la disposition de tous. Les trois fils Cheyne saluèrent Stéphanie et elle fut étonnée de voir combien l'aîné avait grandi depuis la dernière fois qu'elle l'avait vu. Susan la présenta à sa belle-sœur et à son mari, qui vivaient dans le Minnesota, et étaient de passage à Phoenix, ainsi qu'à un couple d'amis. Cette ambiance décontractée convenait parfaitement à Stéphanie qui discuta un moment avec Susan. Quand les joueurs regagnèrent le terrain, elle retourna à la tribune des Ingram.

Installée au premier rang, elle s'absorba dans la contemplation du match. Neil jouait dans le premier quart-temps ; elle observa le moindre de ses mouvements. Elle avait très envie qu'il fasse une belle démonstration de son jeu et que l'équipe gagne, mais elle redoutait qu'il soit blessé. Elle remarqua avec plaisir qu'il n'avait pas l'air d'être gêné par son coude. Quand Neil quitta le terrain, elle perdit tout intérêt pour le jeu.

Un peu avant la fin de la première mi-temps, Barbara Lang vint lui donner ses dernières instructions. Puis, Russell et Wilfrid Ingram accompagnèrent Stéphanie à travers les longs couloirs sombres du sous-sol. Ils arrivèrent aux vestiaires et montèrent les quelques marches qui permettaient l'accès au terrain. Stéphanie fut éblouie par les lumières du stade. Ils furent rapidement rejoints par Barbara Lang et Karen Randall. Quand les joueurs des deux équipes regagnèrent les vestiaires, Gene Cheyne et Neil s'arrêtèrent à leur hauteur.

Quand Neil salua Stéphanie, la caresse brûlante de son regard la saisit. Elle le regarda longuement puis détourna à regret la tête ; c'est alors qu'elle remarqua que Karen Randall les observait. Nul doute que la nouvelle allait se répandre comme la poudre et que, d'ici peu, toute l'équipe serait au courant. Stéphanie jeta un coup d'œil à Neil, si impressionnant dans sa tenue. Son regard était toujours rivé sur elle. Il était clair qu'il n'avait que faire des commérages que son attitude pouvait susciter.

Quelques instants plus tard, tout le groupe se dirigea vers un petit podium, situé en face de la ligne des cinquante yards. Ils y retrouvèrent le représentant de l'hôpital Saint-Antoine et prirent chacun leur place. Dans un premier temps, après une brève intervention, Wilfrid Ingram reçut le chèque de la donation des mains de Karen Randall et le tendit à l'administrateur de l'hôpital qui fit un court discours de remerciement. Puis Russell Ingram remit la plaque commémorative à Stéphanie. Elle lui sourit, le remercia d'un signe de tête, plus émue qu'elle ne l'aurait cru.

A sa grande surprise, elle vit ensuite Neil s'approcher du micro. Barbara Lang ne leur en avait rien dit. Neil parla des liens d'amitié qui l'unissaient à Tim et, tout à coup, sa voix se cassa tant il était bouleversé. L'entraîneur prit sa relève, fit l'éloge des qualités de jeu et de la personnalité de Tim. Il conclut son discours par ces mots :

— C'était un grand joueur, un des meilleurs que j'ai connus. Mais nous avons surtout perdu un ami irremplaçable, un de ceux dont le souvenir ne quitte jamais votre mémoire. Voilà pourquoi les Arizona Apaches ont décidé de retirer son maillot de l'équipe.

Il se tourna alors vers Stéphanie qui, clouée sur place par son désarroi, le regardait fixement. Neil s'approcha d'elle afin de lui remettre un maillot blanc un peu sale sur lequel s'étalait, en orange, le chiffre quatre-vingt-six. Elle tremblait en le lui prenant des mains. Un tonnerre d'applaudissements s'éleva de la foule quand elle serra le maillot contre sa poitrine.

La cérémonie s'acheva et les participants quittèrent un à un le podium. Neil soutint Stéphanie pour descendre les marches. Les yeux brouillés de larmes, elle lui demanda :

— Pourquoi personne ne m'avait prévenue ?
Brusquement, elle éclata en sanglots. Neil la prit tendrement par l'épaule et ils retrouvèrent Barbara Lang au côté de l'entraîneur dans le couloir des vestiaires. Barbara lui tendit un mouchoir. Stéphanie essuya ses larmes. Puis Neil serra doucement ses mains dans les siennes.

— Cela va mieux ?

— Oui. Ne croyez pas que je suis triste, mais c'était tellement émouvant.

— Je voudrais vous voir après le match, lui dit-il.

— Je croyais que vous repartiez immédiatement...

— Nous aurons tout de même le temps de nous parler. Pouvez-vous m'attendre à la fin de la partie ?

— Bien sûr.

Le match allait reprendre et ils se séparèrent à regret. Stéphanie retourna à la tribune des Ingram. Elle but le cocktail que Russell commanda pour elle mais ne s'intéressa plus du tout au jeu. Assise dans le coin salon, elle tenait serré entre ses mains le maillot de Tim, plongée dans ses souvenirs. Elle repensait à son humour, ses fous rires, son sourire espiègle. C'est vrai, il était unique ! Elle l'avait tant aimé ! Mais comme c'était étrange... A son insu, le temps semblait avoir filtré sa douleur et effacé la vivacité de son amour pour Tim.

La fin du match l'arracha à ses pensées. Tout le monde se leva et prit un dernier verre en attendant que la foule se disperse. Elle fit ses adieux et se rendit à la sortie des vestiaires. Elle y trouva des supporters de tous âges venus recueillir des autographes. Il y avait aussi quelques femmes qu'elle ne connaissait pas ; elle se demanda si elles étaient des épouses, des amies ou de simples admiratrices.

Les joueurs commencèrent à sortir mais Stéphanie se doutait que Neil serait le dernier ; n'était-il pas toujours retenu par les reporters sportifs ? Elle avait remarqué dans les journaux une nouvelle polémique. Neil resterait-il le meilleur quart arrière ou allait-il se faire supplanter par Tommy Simpson, qui l'avait remplacé alors qu'il était immobilisé par sa blessure au coude ? Stéphanie savait bien que Cheyne n'hésiterait pas entre le quart arrière qui avait conduit l'équipe à la supercoupe deux ans plus tôt et une nouvelle recrue. Les journalistes non plus n'étaient pas dupes, mais cela leur permettait de remplir leurs colonnes avant le début de la saison.

Tout un groupe de joueurs qu'elle connaissait depuis longtemps quitta les vestiaires. Ils vinrent la saluer, parlèrent de la cérémonie. Stéphanie sentit qu'ils étaient surpris mais qu'ils n'osaient pas lui demander ce qu'elle faisait là. Au moment où ils lui dirent au revoir, elle vit Neil arriver.

Il lui adressa un grand sourire avant d'être assailli par ses supporters. Pendant qu'il distribuait ses autographes, Stéphanie rongeait son frein d'impatience. Elle fut abordée par Asa Jackson, très ému, qui la prit chaleureusement par les épaules et lui dit :

— Je dois vous avouer quelque chose. Votre mari courait comme un chef. Presque aussi vite que moi. Mais, pour attraper le ballon, c'était lui le meilleur !

— Merci, Asa.

Il la salua et partit. Elle jeta un coup d'œil vers Neil, qui n'était plus entouré que par deux ou trois admirateurs. Il les quitta enfin, s'approcha vivement d'elle, prit son visage délicat dans la coupe de ses mains et déposa un léger baiser sur ses lèvres.

— Vous m'avez tant manqué, murmura-t-il.

Un sourire hésitant se peignit sur le visage de Stéphanie. Elle avait l'impression qu'ils étaient la cible de tous les regards et, pour rien au monde, elle ne voulait se donner en spectacle. Elle eut un léger mouvement de recul.

— Vous m'avez manqué aussi, au point que je me suis sentie coupable de ne vouloir venir à la cérémonie que pour vous voir.

Une lueur fugitive éclaira le regard sombre de Neil.

— J'ai pensé que si vous me conduisiez à l'aéroport, nous pourrions être ensemble plus longtemps.

— Très bien. Ma voiture est au parking. Etes-vous prêt ?

— Allons-y !

Il ajouta d'un ton badin :

— Mon petit doigt me dit que nous allons faire jaser.

Ils se rendirent au parking. Stéphanie, mal à l'aise, ne dit pas un mot, consciente du poids des regards posés sur eux. Quelle idée les joueurs allaient-ils se faire d'elle, la veuve de Tim, en la voyant partir avec Neil ? Elle eut de nouveau le cruel sentiment de tromper son mari.

Neil la tira de son mutisme.

— Mais enfin, que se passe-t-il ?

— Vous ne voyez donc pas comment les joueurs me regardent ? Pour eux, je suis toujours la femme de Tim.

Elle vit une ombre passer sur son front.

— Ce n'est pas grave, dit-il pour la rassurer.

— Mais je me sens si mal à l'aise !

— Cela passera, vous verrez.

— Je n'en suis pas si sûre, répondit-elle dans un soupir. Ce n'est pas facile.

— Les choses trop simples manquent vite d'intérêt.

Stéphanie ouvrit sa portière. Il faisait une chaleur étouffante dans la voiture ; aussitôt elle mit en marche l'air conditionné. Le volant était brûlant et ils attendirent quelques instants avant de démarrer. Ils se rendirent à l'aéroport tout proche dans un silence total. Stéphanie était perplexe. Pourquoi ce silence soudain alors qu'ils avaient eu tant de choses à se dire au téléphone ? C'était peut-être le souvenir de la cérémonie qui pesait sur eux.

Elle lui demanda à brûle-pourpoint :

— Pourquoi ne m'avez-vous pas prévenue qu'ils allaient retirer le numéro de Tim ?

Il haussa les épaules.

— Cela aurait gâché tout l'effet de surprise.

— Je n'aurais pas tant hésité si on me l'avait dit.

— Je le savais mais l'entraîneur tenait absolument à ce que la presse n'en sache rien. Quant à Howard, il pensait que votre réaction serait ainsi plus spontanée.

— Ce cher Howard, toujours prêt à jouer de la sensibilité des autres.

— Stéphanie, vous ne trouvez pas que vous êtes un peu injuste envers lui ?

— Je ne sais pas, répondit-elle avec une moue dubitative.

Ils arrivaient à l'aéroport et Stéphanie se dirigea vers le parking.

— Vous savez, tout à l'heure après la cérémonie, il m'est arrivé quelque chose d'assez étrange. J'étais dans la tribune, je repensais à Tim, à tout ce que nous avions fait ensemble et, soudain, j'ai eu l'impression que...

— Bon sang ! jura Neil.

Effrayée, Stéphanie freina brusquement puis tourna un visage stupéfait vers lui. Il fulminait de rage. Sa voix cinglante lui fit l'effet d'une morsure.

— C'est donc tout ce que vous avez à me dire ? Vous voulez vraiment que nous passions notre temps à reparler de Tim ?

Envahie par un profond désarroi, Stéphanie riva

son regard sur la route ; elle tremblait, des larmes lui montaient aux yeux. Que faire, face à une telle flambée de colère ? Elle gara la voiture et se tourna vers Neil.

— Je suis désolée. Il n'est pas dans mon intention de vous parler de Tim à longueur de temps.

Les yeux de Neil lançaient des éclairs quand il la prit aux épaules.

— Mais c'est plus fort que vous ! Stéphanie, allez-vous l'aimer toute votre vie ?

Il poussa un soupir d'impatience et l'attira dans ses bras. Sa bouche, avide, impérieuse, se plaqua sur la sienne et répandit en elle un feu dévastateur. Son étreinte passionnée trahissait la force de sa fièvre. Ses mains caressantes, enjôleuses, effleurèrent ses cheveux fauves et s'emparèrent des formes pleines de sa gorge. Il fit courir ses lèvres brûlantes sur ses seins adorés. Il voulait la prendre au piège de ses baisers pour qu'enfin elle acceptât son amour.

— Stéphanie, Stéphanie...

Ses yeux brillaient d'une flamme vive. Il couvrit son visage d'une pluie de baisers, murmura près de ses lèvres :

— Stéphanie, j'ai envie de vous et je suis là, bien vivant. Pourquoi restez-vous attachée à un fantôme ? Aimez-moi, Stéphanie.

Stéphanie ne pouvait détacher ses yeux du regard qui l'envoûtait comme s'il dégageait un magnétisme puissant.

Quand il prit à nouveau ses lèvres, elle eut l'impression qu'il lui insufflait son feu intérieur. De ses mains fiévreuses, il épousa le galbe parfait de ses hanches. Il sentait les battements affolés de son cœur sous la fine étoffe de sa robe. Il la pressa contre lui et partit à la découverte de son corps. Ses épaules rondes et douces, son ventre plat, ses cuisses fuselées le rendirent fou de désir. Il l'implora :

— Dites-moi que vous ne l'aimez plus, Stéphanie. Dites-le-moi, maintenant.

Stéphanie eut un violent sursaut. Sous l'emprise de ses sens, toute la pensée rationnelle l'avait quittée, mais ces mots l'arrachèrent à ce monde bouleversant de sensations. Elle lui répondit, d'une voix vibrante d'émotion :

— Mais Neil, je... je ne peux pas.

Il poussa un soupir, serra les lèvres, la repoussa durement, saisi par le dépit.

— Pendant combien de temps encore allez-vous aimer un fantôme ? Ne comptez pas sur moi pour un ménage à trois, surtout avec un homme mort !

Il bondit hors de la voiture et claqua violemment la portière. Stéphanie le regarda s'éloigner à grands pas. Elle avait peine à retrouver sa respiration. Qu'arrivait-il à Neil ? Elle avait vu des larmes dans ses yeux pendant la cérémonie, il aimait Tim comme son frère. Comment expliquer alors qu'il exprime une telle haine pour lui ?

Mais soudain, la fureur l'envahit. De quel droit s'était-il jeté sur elle comme un fou ? Comment pouvait-il se permettre de lui parler de la sorte ? Elle ne put pourtant réprimer un frisson à l'évocation de leurs baisers brûlants, enivrants. Elle n'aurait jamais imaginé qu'une telle passion contenue vibrait en lui. Perdue dans le souvenir de leur dernière étreinte, elle se surprit à penser, malgré tout, qu'elle avait hâte qu'il termine son entraînement et rentre à Phoenix.

Chapitre 8

Le lendemain matin, Stéphanie préparait son petit déjeuner quand le téléphone sonna. Et si c'était Neil ? Elle se précipita sur le combiné.

— Allô ?

— Stéphanie ? C'est Julie.

Le visage de Stéphanie s'assombrit. Elle était ridicule d'avoir pu penser un instant que c'était lui ! Elle savait bien que, le matin, tous les joueurs étaient à l'entraînement. Elle s'efforça de ne pas laisser percer sa déception dans sa voix.

— Bonjour, Julie. Alors, que devenez-vous de si bon matin ?

— Je vous retournerais volontiers la question. Pourquoi ne m'avez-vous rien dit pour Neil et vous ?

— Comment cela ? dit Stéphanie d'une voix un peu tendue.

— Inutile de mentir, Bob vous a vus hier soir.

Stéphanie tenta de se justifier.

— Mais il n'y a rien entre nous. Je suis simplement allée l'attendre à la fin du match pour le remercier de m'avoir donné le maillot de Tim.

— Vous ne me ferez pas croire cela. Allons Stéphanie, pourquoi ne voulez-vous pas me le dire ?

Stéphanie soupira.

— Je ne sais pas. Vous avez raison, je vous ai menti. Mais je me sens si coupable vis-à-vis de Tim. J'ai l'impression de lui être infidèle. Que va-t-on penser de moi ? Tout le monde va croire que cela dure depuis longtemps, et même que cela a commencé avant la mort de Tim !

— Quelle drôle d'idée ! Personne ne songerait à une chose pareille, enfin !

— Qu'en savez-vous ?

— Tout le monde connaît Neil. Il n'aurait jamais fait cela ! Il est beaucoup trop loyal. Mais dites-moi tout. Que se passe-t-il entre vous ?

— En fait, rien de spécial. Nous nous sommes vus un soir. Depuis il m'appelle régulièrement du camp d'entraînement.

— Moi qui m'attendais à des confidences scandaleuses !

— Je crois que vous n'aurez jamais l'occasion d'en entendre. Il était très fâché quand il est parti hier soir.

— Ne soyez pas ridicule. Pourquoi donc était-il fâché ?

— Je ne sais pas. Il est brusquement entré dans une colère noire et m'a accusée de toujours aimer Tim.

— Simple jalousie. Et puis n'oubliez pas que, pendant l'entraînement, ils sont constamment tendus. Même si leur place est assurée au sein de l'équipe, ils redoutent toujours que Cheyne change d'avis. Oubliez ce qui est arrivé hier. Souvenez-vous de l'humeur détestable de Tim quand il était au camp.

Stéphanie eut un petit sourire.

— C'est vrai. Il était absolument insupportable au point que j'étais soulagée que l'entraînement ait lieu en Californie plutôt qu'ici.

Le moral de Stéphanie s'améliora au fil de la conversation. Avant de se quitter, elles prirent rendez-vous pour sortir un soir de la dernière semaine de l'entraînement. Stéphanie déjeuna rapidement, car il fallait qu'elle continue ses recherches sur le kidnapping de Marianne Willoughby. Elle était en train de débarrasser la table de son petit déjeuner quand le téléphone sonna à nouveau. C'était Karen Randall qui disait vouloir bavarder avec elle. Cela sembla suspect à Stéphanie : elles n'étaient pas des amies proches ; Karen ne l'avait même jamais appelée depuis l'enterrement de Tim. Elle ne fut donc pas surprise quand, au bout de quelques minutes, Karen céda à sa curiosité en lui posant des questions sur ses relations avec Neil. Stéphanie s'efforça de rester cordiale mais saisit le premier prétexte pour écourter la conversation.

Elle se versa une tasse de café, se rendit dans son bureau, étudia le calendrier pour savoir quand Neil serait de retour exactement ; il lui avait dit dans deux semaines. Le dimanche suivant, l'équipe partait en déplacement, la semaine d'après, elle recevait leurs adversaires à domicile pour le match retour. Elle pourrait donc voir Neil le lendemain du match à Phoenix, c'est-à-dire le lundi. Enfin, s'il tenait toujours à la voir.

Elle se mit à taper les notes qu'elle avait prises en interviewant l'avocat de Rodriguez. Il avait eu l'obligeance de lui communiquer la nouvelle adresse de Rodriguez. Elle lui avait écrit pour solliciter une interview et, à sa grande joie, il lui avait répondu la semaine passée. Stéphanie reprit son calendrier, chercha à quelles dates elle pourrait éventuellement le rencontrer. Puis elle l'appela et ils se fixèrent rendez-vous pour le jeudi suivant.

Elle se remit au travail, mais elle était sans arrêt dérangée par le téléphone. A chaque fois, c'était l'épouse d'un des joueurs qui prétendait vouloir bavarder avec elle sous le prétexte de l'inviter à un cocktail ou à venir prendre le café. En fait, elles appelaient toutes dans le même but : en savoir plus sur Neil et elle. Comme elle détestait ce cercle fermé qui vivait d'intrigues et de commérages !

Elle avait eu suffisamment de mal à supporter ce climat du vivant de Tim ; ce n'était sûrement pas maintenant qu'elle allait entrer dans le jeu de ces femmes toujours à l'affût du moindre potin. Pour rien au monde, elle ne tenait à devenir le dernier sujet de conversation en ville. Pour comble d'agacement, elle reçut un appel d'un reporter sportif qui voulait savoir s'il était vrai qu'elle voyait Neil Moran. Elle lui aurait volontiers raccroché au nez. Par décence, elle déclara simplement qu'ils étaient amis mais le journaliste ne fut pas plus dupe qu'elle.

C'en était trop ! Ces coups de fil ravivaient sans cesse le souvenir douloureux de la scène de la veille. Elle décrocha rageusement son téléphone. Tant pis pour les appels importants qu'elle aurait pu recevoir. Il lui fut enfin possible de s'absorber dans son travail : la pensée de Neil ne vint pas une fois effleurer son esprit.

En milieu d'après-midi, on frappa à sa porte. Quelle ne fut pas sa surprise en découvrant un ours, debout sur le seuil du bureau. Il tenait à la main des ballons argentés. Il fallut quelques secondes à Stéphanie pour sortir de sa stupeur et se rendre compte qu'il ne s'agissait pas d'un vrai ours, mais d'un homme déguisé, envoyé par l'une de ces maisons spécialisées dans les vœux d'anniversaire particulièrement originaux.

Elle éclata de rire.

— Mais qui a pu faire une chose pareille ? Ce n'est pas mon anniversaire, ni ma fête, pour autant que je sache.

L'ours lui désigna alors les ballons. Elle remarqua à ce moment-là que sur chacun d'entre eux il y avait écrit « Je suis désolé » d'un côté et « Pardonnez-moi » de l'autre. C'était Neil. Son cœur battait la chamade quand elle prit des mains de l'ours la petite enveloppe qu'il lui tendait. Elle l'ouvrit précipitamment. A l'intérieur se trouvait une carte sur laquelle était écrit : « Désolé de m'être conduit comme un ours. » « Neil. » Un sourire éclatant illumina son visage. Elle se saisit des ballons que l'étrange animal lui fit signe de prendre avant de s'éclipser en un éclair. Elle rentra dans son bureau, portée par une douce euphorie. Voilà qui ressemblait bien à Neil ! Elle attacha les ficelles des ballons à la poignée d'un des tiroirs de son bureau et réfléchit. Quelle réponse allait-elle pouvoir trouver à un tel message ?

Lui téléphoner au camp n'était pas commode. Les joueurs étaient difficiles à joindre. D'autre part, une lettre mettrait beaucoup trop de temps à arriver. Elle aurait pu lui renvoyer le même genre de messager que celui qu'elle avait reçu mais elle doutait fort que cela soit du goût de l'entraîneur. Elle ne voulait pas causer d'ennuis à Neil. Finalement, le plus simple était de lui envoyer un télégramme qu'elle rédigea ainsi : « Pardon accordé. J'ai toujours eu un faible pour les ours. » « Stéphanie. »

Elle travailla tout l'après-midi, sans même se rendre compte du temps qui passait. Son travail terminé, elle rebrancha son téléphone. Elle ne voulait surtout pas manquer l'appel de Neil s'il lui téléphonait. Elle eut du mal à avaler le léger dîner qu'elle s'était préparé. La soirée lui parut incroyablement longue. Elle tenta vainement de lire. A chaque fois qu'elle entendait le téléphone sonner, elle tremblait d'impatience puis, quand elle découvrait que ce n'était pas Neil, elle quittait son interlocuteur le plus vite possible.

La sonnerie retentit une fois de plus. C'était lui. Enfin !

— J'ai bien reçu votre télégramme.
— Neil... je suis si contente que vous m'appeliez.
— Je m'en veux de vous avoir si mal traitée, hier soir.
— N'y pensez plus. Vous étiez énervé à cause des tensions de l'entraînement, c'est tout.
— Non, ce n'était pas pour cela.
— Ah ?
— Stéphanie, même si cela n'excuse rien, sachez que j'aime les situations claires et nettes. Je suis quelqu'un de simple. Je suis jaloux, possessif, c'est ma nature, je n'y peux rien. Et puis ce n'est pas facile de lutter contre le souvenir d'un ami défunt.
— Mais vous n'êtes pas en compétition avec lui !
— Je sais, Stéphanie. Ce que je voudrais, c'est que nous fassions table rase du passé.
— Vous demandez l'impossible... Par contre, nous pouvons essayer d'être plus attentifs au présent !
— Vous sentez-vous prête à le faire ?
— Oui.
— Alors nous nous verrons dans deux semaines, après le match amical à Phoenix.
— Oui, Neil.

Ce dernier match marquait la fin de la période d'entraînement. Neil allait revenir à Phoenix et, à l'exception des week-ends où l'équipe partirait jouer en déplacement, ils auraient tout le loisir de se voir. Comme elle avait envie qu'il la prenne dans les bras ! Elle voulait sentir l'odeur forte et musquée de sa peau, recevoir la caresse de ses baisers. Mais à son attente fiévreuse se mêlait une peur panique. Etait-elle prête à se donner totalement à lui ? Et l'amour ? Où était-il dans tout cela ? Le désir était-il suffisant ?

De toute manière, ils ne pouvaient plus rester de simples amis. Ou ils allaient plus loin, ou ils choisissaient de ne plus se revoir. Et cela, elle ne pouvait le supporter. Son corps frémissait déjà à l'idée de le retrouver et la promesse des délicieux frissons qui s'offraient à eux balaya son appréhension.

Les deux semaines suivantes, le temps lui sembla terriblement long. Si elle n'avait eu le refuge de son travail, la pensée du retour de Neil ne l'aurait pas quittée un instant. Heureusement, elle partit à Los Angeles pour l'interview de Julio Rodriguez et du policier dont l'enquête avait permis de retrouver le vrai coupable. Le policier n'avait pas encore pris sa retraite. C'était un petit homme trapu aux cheveux clairsemés ; son visage exprimait une certaine lassitude. Il n'était pas très bavard et elle dut le presser de questions pour qu'il reconnaisse clairement que la première enquête aboutissant à l'inculpation de Rodriguez avait été mal menée. Stéphanie parvint néanmoins à lui faire retracer la progression des faits, depuis le jour où la femme de chambre était allée avouer à la police qu'elle avait fait un faux témoignage, jusqu'au jugement du vrai coupable.

Après l'interview difficile du policier, celle de Julio Rodriguez lui parut de tout repos. Il ne parlait pas parfaitement l'anglais mais sa fille l'aida à exprimer fidèlement sa pensée. C'était malgré tout un conteur-né et Stéphanie, fascinée par son récit, oublia plus d'une fois de prendre des notes. A l'écouter lui raconter son histoire pathétique, incroyable, révoltante, Stéphanie comprit rapidement qu'elle tenait là un grand sujet.

Elle revint à Phoenix, ravie du travail qu'elle avait accompli. Aussitôt, elle commença la rédaction de son livre. Elle tirait une réelle satisfaction de son travail mais, dès qu'elle cessait d'écrire, l'image troublante de Neil s'imposait à son esprit. Ses nuits étaient peuplées de rêves fiévreux, agités, où elle était toujours en compagnie de Neil.

Le samedi, elle regarda à la télévision le match que disputaient les Arizona Apaches. La partie était sans surprise, ponctuée par les fautes des nouvelles recrues mais, quand Neil entra sur le terrain, Stéphanie sentit tout son corps se tendre. Elle joignit ses mains et les serra très fort. Pourquoi les caméras de télévision ne faisaient-elles pas de gros plan sur Neil ? Quelques minutes plus tard, les caméras finirent par se rapprocher de lui. Mais elle fut déçue. On distinguait à peine ses traits derrière son masque. Neil ne joua que deux quarts-temps, pendant lesquels elle garda son regard rivé à l'écran, dans l'espoir de l'apercevoir malgré tout.

Le match s'acheva un peu avant onze heures. Elle ne tarda pas à aller se coucher mais son excitation la tint longtemps éveillée. Comment le simple fait de voir Neil à la télévision la troublait-il autant ? Elle n'avait rien à envier aux adolescentes fébriles devant la photographie de leur amoureux ! Elle se sermonna mais le langage de la raison n'avait pas de prise sur ses sentiments.

Elle s'était enfin endormie lorsque la sonnerie du téléphone la réveilla en sursaut. Elle décrocha mécaniquement le récepteur posé sur sa table de chevet.

— Oui ?

— Stéphanie, c'est Neil, dit-il à voix basse.

— Neil !

Elle se redressa dans son lit et jeta un coup d'œil à son réveil : trois heures du matin !

— Mais que vous arrive-t-il ? Vous avez vu l'heure ?

— Non, mais il doit être tard, tout le monde est couché.

— Il est trois heures ! Que se passe-t-il ?

— Oh, rien ! Je n'arrivais pas à dormir et j'avais envie de vous parler. Je suis descendu vous téléphoner, c'est tout simple.

— Gene va vous mettre une amende s'il vous trouve dehors à cette heure.

— Je sais. Mais j'avais tellement envie d'entendre votre voix.

Stéphanie se sentit fondre.

— Je suis contente que vous m'appeliez. J'ai vu le match à la télévision tout à l'heure.

— Cela n'a pas été très brillant.

— Vous êtes contrarié ?

— Non, mais je suis impatient que la saison commence. Je trouve frustrant de regarder les autres faire des fautes.

— Vous voudriez les faire avec eux ?

Il eut un petit rire.

— J'aime bien vous parler. Vous avez le don de me montrer le bon côté des choses, cela m'évite de me prendre trop au sérieux.

Il se tut puis poursuivit :

— J'ai envie d'être avec vous.

— Moi aussi, je voudrais être avec vous.

— C'est vrai ?

Sa voix trahissait une joie profonde.

— Stéphanie, viendrez-vous au match dimanche prochain ?

— Je ne pensais pas y aller.

— Venez pour me faire plaisir. J'aimerais tant vous voir après la partie. Il me serait si agréable de penser que vous serez là, quelque part, perdue dans la foule.

— Eh bien, c'est entendu, je viendrai.

— Parfait. Je vous fais réserver une place dès demain.

— Non, je préfère l'acheter moi-même. Je n'ai pas la moindre envie de me retrouver avec les femmes des joueurs. Tant pis si ma place est moins bonne.

— Mais c'est ridicule !

— Peut-être, mais c'est ainsi.

— Très bien. Si c'est ce que vous voulez, je m'incline. Viendrez-vous m'attendre comme l'autre fois ?

— Oui.

— Après les matches, je rentre généralement chez moi pour me plonger dans ma piscine. Sinon, le lendemain mes muscles sont tellement ankylosés que je ne peux plus bouger. Voulez-vous venir ? Je vous raccompagnerai après.

Elle sourit en appréciant le tact de son invitation.

— D'accord.

— N'oubliez pas d'amener votre maillot de bain si vous voulez vous baigner.

— Je n'y manquerai pas.

— Je suis désolé de vous avoir réveillée, mais il fallait que je vous parle. Je n'arrête pas de penser à vous.

Sa voix chaude et sensuelle trouva un écho profond en elle.

— Neil...

— Il vaut mieux que je raccroche avant que je me fasse arrêter pour propos licencieux tenus au téléphone. A dimanche.

— A dimanche.

Il se tut un instant puis il lui murmura :

— Au revoir.

Elle se glissa voluptueusement sous les draps. En se rendormant, elle songeait encore avec étonnement à la joie que lui procurait le seul fait d'entendre la voix de Neil.

Le dernier match amical combla l'attente de tous les spectateurs. La partie fut rudement menée et, jusqu'à la fin, les deux équipes gardèrent des chances égales de l'emporter. Ce fut finalement Neil, qui, en traversant presque toute la longueur du terrain, alla marquer les derniers points décisifs, deux minutes avant la fin de la partie. Stéphanie était très mal placée, presque dans la zone du but. Cela ne l'empêcha pas de surveiller chaque attaque que Neil subissait. Les mains moites, elle regardait ses adversaires le bousculer, le plaquer, le jeter au sol. Le nouveau règlement interdisait aux joueurs de bousculer un quart arrière qui venait de lancer le ballon, mais, souvent emportés par leur élan, ils le heurtaient de plein fouet. Stéphanie se crispait à chaque fois que Neil était jeté au sol et attendait, anxieuse, qu'il se relevât.

Stéphanie avait beau avoir peur pour Neil, elle ne pouvait s'empêcher d'être prise par le jeu. Quand elle avait rencontré Tim, elle ne connaissait rien au football et ne s'y intéressait pas le moins du monde. Mais, au fil du temps, elle avait acquis une meilleure connaissance des règles, ce qui lui permettait d'apprécier pleinement les matches. Quand Daniel Bliss réceptionna la passe de Neil et marqua le dernier essai, elle se leva instinctivement avec la foule et se mit à applaudir frénétiquement.

L'équipe adverse ne marqua aucun point dans les dernières secondes du match et les Arizona Apaches remportèrent la victoire. Stéphanie resta quelques instants assise. La tension du jeu l'avait fortement éprouvée : certes, la partie avait été passionnante, mais, surtout, elle avait tremblé sans cesse pour Neil. Les joueurs se dirigèrent vers les vestiaires, suivis par la foule de leurs supporters.

Quand elle vit que le stade était presque vide, elle se rendit aux toilettes. Là, elle brossa ses cheveux, remit une touche de rouge à lèvres et s'observa attentivement dans la glace. Il lui avait fallu une bonne partie de l'après-midi pour choisir sa tenue. Elle avait finalement opté pour une robe de cotonnade fleurie qui découvrait largement ses épaules. Une large ceinture du même tissu que la robe faisait ressortir les formes rondes et pleines de sa silhouette. Lui plairait-elle dans cette tenue ? Elle se demanda brusquement pourquoi elle y attachait tant d'importance.

Elle releva fièrement la tête et se dirigea vers la sortie des vestiaires. Neil n'était pas encore là. Quand enfin il apparut, il fut englouti par une foule de supporters venus le féliciter. Il souriait à la ronde, distribuait des autographes, mais, visiblement, cherchait Stéphanie du regard. Quand ses yeux se posèrent sur elle, ce fut avec une lueur d'admiration qui réchauffa le cœur de Stéphanie.

Envahi par ses supporters, Neil avait l'impression qu'il n'arriverait jamais à s'en débarrasser. Entre chaque signature d'autographe, il la dévorait du regard. Il ne l'avait jamais vue aussi radieuse !

L'excitation du match ne l'avait pas totalement quitté et, à la voir si belle, il sentit une vive émotion l'animer. Il se fraya lentement un chemin vers elle. Le groupe se dispersa enfin et il pressa le pas pour venir la rejoindre.

Elle admira la grâce féline de sa démarche souple. Il était vêtu d'un pantalon beige et d'un polo bleuté qui soulignait la forme de ses larges épaules. Les yeux brillants, il s'approcha d'elle et passa un bras autour de ses épaules.

— Stéphanie !

Il l'entraîna rapidement vers le parking en la serrant contre lui à lui couper le souffle. Elle sentit la passion contenue qui bouillonnait en lui.

Elle fit mine de protester.

— Neil, vous allez m'étouffer !

— Oh, pardon ! dit-il en relâchant son étreinte.

Penché vers elle, il posa son front contre le sien.

— Dieu que j'ai envie de vous...

Il lui caressa doucement les cheveux.

— Si j'avais pu, je vous aurais déshabillée devant tout le monde.

— Heureusement que vous ne l'avez pas fait, répliqua Stéphanie. Vos supporters auraient été quelque peu surpris, vous ne croyez pas ?

— Qui sait ? Cela aurait sans doute accru ma célébrité. Je serais devenu un héros national !

Il vérifia qu'il était à l'abri de tous les regards et la plaqua contre un pilier. Sa bouche vint s'unir à la sienne tandis qu'il resserrait son étreinte. Stéphanie fut traversée d'un frisson délicieux. Du bout de la langue, il suivit les lignes fines de son cou, puis ses lèvres vinrent se réfugier au creux de sa gorge palpitante.

Son souffle chaud embrasa Stéphanie qui chavira et se cambra pour mieux offrir son corps à ses baisers. Sous l'emprise d'une indicible fièvre, elle perdit totalement conscience de ce qui l'entourait. Haletant, Neil relâcha lentement son étreinte et la considéra avec ferveur. D'une voix sourde, il murmura :

— Je crois qu'il est temps que nous rentrions.

Ils marchèrent main dans la main jusqu'à la Volkswagen de Stéphanie, vibrants l'un et l'autre du désir qui les habitait.

— Voulez-vous conduire ? lui demanda-t-elle.

— Non, conduisez. Je pourrai mieux vous regarder.

Le visage de Stéphanie s'empourpra.

— Vous allez me troubler.

Elle prit le volant. Neil, assis à côté d'elle, la dévorait du regard. Elle sentit une douce langueur l'envahir et chercha désespérément un sujet de conversation neutre.

— Vous avez remarquablement bien joué.

Il haussa les épaules avec désinvolture.

— Bien sûr, nous avons gagné, mais je n'étais pas au meilleur de ma forme.

Tout au long du chemin, il analysa les différentes phases du match, mais Stéphanie eut la nette impression que toutes ses pensées étaient tournées vers elle. Elle n'aurait jamais cru que cet être en apparence solide comme un roc cachait une lave si brûlante.

En s'engageant sur la piste qui menait à la maison de Neil, elle lui dit avec un air de contrariété feinte :

— Ce chemin plein d'ornières est vraiment impraticable. A chaque fois que je viens chez vous, je me dis que c'est la dernière fois.

— Je vais le faire remblayer au plus vite ! rétorqua-t-il en plaisantant.

La piste s'élevait doucement à travers un impressionnant paysage de roches nues et de cactus. A un détour du chemin, les lumières de Phoenix scintillèrent, en contrebas. En sortant de la voiture, garée devant la maison, Stéphanie se plongea avec ravissement dans la contemplation de la vallée. Ici et là, les lumières de la ville brillaient comme autant d'étoiles.

— C'est magnifique ! s'écria-t-elle.

— Il faudrait que vous assistiez à un orage ici. Toute la vallée s'illumine ; c'est comme un gigantesque feu d'artifice.

Derrière eux, adossée à la montagne, la maison de Neil s'intégrait parfaitement au paysage. Construite dans le style mexicain, c'était une maison basse avec de grosses poutres apparentes. Les pièces de la façade ouvraient sur la vallée par de grandes baies vitrées. Comme les couchers de soleil doivent être beaux ici, songea Stéphanie. Invisible derrière une palissade de bois, la piscine se trouvait juste au pied de rochers impressionnants.

Ils n'avaient pas encore atteint la porte d'entrée qu'un chien déboucha à toute allure sur eux et s'arrêta devant son maître dans un nuage de poussière.

— Je vois que Goofy veille toujours.

— Plus que jamais ! Mais ce soir, il va gentiment aller dans la remise, sinon il risque de prendre son bain avec nous. Allez, Goofy, on y va, dit-il en lui caressant la tête.

— Il a vraiment de drôles d'habitudes ! commenta Stéphanie.

Ils entrèrent dans la maison. Stéphanie aimait beaucoup la façon dont Neil avait décoré son intérieur. Le sol de tommettes rouge foncé contrastait avec les tons vifs des tapis mexicains qui les recouvraient çà et là. Les pièces étaient toutes très grandes et meublées avec sobriété pour que le paysage environnant fasse partie intégrante du décor de la maison.

— Je vais me changer, dit Neil. Avez-vous amené votre maillot de bain ?

— Oui.

— Parfait. J'avais peur que vous ne l'ayez oublié et que je sois obligé de renoncer à mon bain pour vous tenir compagnie. Je me serais réveillé demain aussi courbatu qu'un vieillard !

Il se dirigea vers sa chambre en lui lançant :

— La salle d'eau est libre. Je pense que vous connaissez la maison.

Stéphanie marcha lentement vers la salle de bains et referma soigneusement la porte derrière elle. Elle se déshabilla sans hâte. Malgré la douceur du soir, elle avait la chair de poule. Elle sortit son maillot de son sac de sport. C'était un maillot une pièce, noir, très découpé sur les cuisses, avec une bande pourpre sur le côté qui allongeait encore la silhouette. Le miroir lui renvoya l'image d'une jeune femme au corps parfait. Sa tenue n'était-elle cependant pas un peu trop audacieuse ?

Un frisson d'excitation mêlé d'appréhension la parcourut tout entière. Elle sentait le désir monter en elle en pensant au contact des mains de Neil sur sa peau. Elle avait irrésistiblement besoin de son regard brûlant posé sur elle, de sa chaleur, de son odeur. Ses pensées la firent rougir. Elle ouvrit la porte de la salle de bains et ne put réprimer le tremblement de sa main sur la poignée.

Neil était déjà dehors. Agenouillé, il procédait aux différents réglages des jets du bain chaud. Il entendit la porte coulisser et se retourna. Stéphanie, nimbée de la douce lumière du salon, semblait irréelle. Il fut subjugué par ce corps de déesse qui s'offrait à sa vue.

Il se releva lentement et plongea dans ses yeux l'éclat intense de ses prunelles sombres. D'une voix voilée par l'émotion, il murmura son nom :

— Stéphanie...

Il s'approcha d'elle et, sans détacher son regard du sien, entoura son cou gracile de ses mains. Ses doigts frémirent en touchant sa peau nue. Il parcourut avec ferveur la chair tendre de ses épaules, la courbe pleine de ses seins et de ses hanches. De ses mains caressantes, il dessina avec vénération la cambrure parfaite de ses reins pour revenir aux douces rondeurs de sa poitrine.

— J'ai tellement envie de vous... tellement, lui dit-il dans un murmure.

Il souleva la masse acajou de ses cheveux avec une infinie douceur.

— Ne me laissez pas seul, ce soir.

Envoûtée par le puissant magnétisme de sa voix, Stéphanie répondit :

— Je reste avec vous, Neil.

Ce merveilleux aveu le transporta de joie. Il l'embrassa passionnément, dévoré par le désir si longtemps contenu de la posséder. Aussitôt, il s'admonesta mentalement. Il ne devait pas trahir son impatience ; le moment n'était pas encore venu d'assouvir leur soif mutuelle. Il déposa un léger baiser sur ses lèvres et relâcha son étreinte. Elle releva la tête, surprise. Les yeux brillants, il la prit par la main et l'entraîna vers le bain japonais.

Chapitre 9

Neil entra dans le bain en exposant son dos à un jet brûlant. Stéphanie s'installa en face de lui, sans même se souvenir qu'autrefois elle s'asseyait face à Tim et que Neil et Jill formaient l'autre couple. Neil ne put s'empêcher d'y penser mais rejeta violemment cette idée. Le passé était le passé, alors à quoi bon le ressasser ! L'avenir ne s'offrait-il pas à eux ?

Il étira ses jambes musclées et croisa nonchalamment les chevilles dans l'eau. Tout autour d'eux, la vapeur s'échappait en volutes gracieuses qui allaient se dissiper dans l'air nocturne du désert. Il renversa la tête en arrière et, les yeux clos, se laissa aller au bien-être de la pression de l'eau chaude sur son corps tendu.

Il savait que, le lendemain, ses muscles seraient endoloris mais, à son habitude, il n'en tiendrait pas compte et ferait ses exercices comme si de rien n'était. Un jour, au collège, il s'était cassé le bras pendant un match mais avait refusé d'abandonner le jeu avant la fin. Cet exploit l'avait rendu célèbre dans tout le collège et l'entraîneur l'avait longtemps cité en exemple. Grâce à son esprit combatif, il avait brillamment mené sa carrière.

Stéphanie, un peu décontenancée par l'attitude soudain distante de Neil, se laissa envahir par la chaleur de l'eau. La caresse des milliers de bulles qui montaient à la surface la délassait délicieusement. Au bout d'un moment, elle se leva et s'assit au bord du bac, car la température de l'eau devenait insupportable. Le vent frais du désert rafraîchit son corps brûlant.

Neil la contemplait en silence. Son maillot de bain trempé révélait complaisamment son buste de déesse. Il se leva et s'approcha d'elle.

Stéphanie le regardait, fascinée par le jeu magnifique de ses muscles sous sa peau bronzée. Il l'enlaça et parcourut de ses lèvres ses seins palpitants. Elle sentit ce doux contact se répercuter dans tout son corps et, telle une vague furieuse, engloutir ses anciennes peurs. Elle voulait sentir son torse musclé contre sa peau frémissante.

Les yeux emplis d'une folle passion, il la regardait. Comme s'il pouvait lire ses pensées, il la prit par la taille et l'attira dans l'eau, tout contre lui. Lorsqu'il s'empara de ses lèvres, elle lui répondit avec une ardeur égale à la sienne.

Emportée par un torrent de sensations incontrôlables, elle sentit se réveiller en elle une passion trop longtemps étouffée. Elle se cambra vers lui ; son corps réclamait d'autres étreintes, d'autres délices.

Tout interdit disparu, elle lui enlaça la taille de ses longues jambes fuselées pour mieux épouser la forme de son corps. Aiguillonné par un désir de plus en plus impérieux, Neil couvrit avidement sa gorge de baisers. Il tenait dans ses bras ce corps chéri dont il avait si longtemps rêvé. Après tant d'années d'attente, elle se donnait enfin à lui !

Ses mains pressantes communiquaient sa fièvre torride. Stéphanie frémit. Toute pensée la quitta. Fiévreusement, elle s'agrippa à lui pour ne pas défaillir et mêla ses doigts à la masse sombre de sa chevelure.

Il la plaqua contre lui, fit glisser ses doigts le long de son dos, imprima des mouvements lents, sensuels, sur la cambrure parfaite de ses reins.

— Stéphanie, je n'en peux plus, murmura Neil, d'une voix haletante.

A contrecœur, il dénoua leur étreinte. Stéphanie, debout, se retrouva totalement déconcertée.

— Mais pourquoi ? demanda-t-elle timidement.

Il lui adressa un sourire tendre.

— Ce soir, nous avons tout notre temps.

— Neil, j'ai envie de vous.

— Je sais, mais je veux que cette soirée reste à jamais gravée en nous.

Anticipant le plaisir de ses promesses, ses yeux ténébreux flambaient de passion. Il se pencha vers elle et lui mordilla l'oreille.

— Je vais faire un plongeon dans la piscine. Voulez-vous venir vous rafraîchir aussi ?

— Oui.

Il lui prit la main et ils sortirent du bain chaud. Neil appuya sur un interrupteur : des faisceaux lumineux jaillirent des eaux bleues de la piscine. Neil plongea sans hésitation et entama un crawl parfait. Stéphanie préféra s'habituer à la température de l'eau et descendit progressivement par l'échelle. Elle fit quelques brasses nonchalantes et s'arrêta pour admirer Neil qui enchaînait longueur sur longueur. Elle nageait vers lui quand il prit appui sur le rebord de la piscine.

D'un ton un peu dépité, elle s'écria :

— Vous n'êtes même pas essouflé !

Il lui sourit.

— Ce n'était qu'un exercice de routine. Je nage environ cinq kilomètres tous les matins.

— Quel athlète !

Il lui effleura le bout du nez et lui dit d'un ton moqueur :

— En tout cas, pour une raison qui reste inconnue, les athlètes semblent vous attirer.

Elle afficha un air perplexe.

— Je me demande vraiment pourquoi...
— Ah oui ?
Il se rapprocha d'elle et embrassa ses paupières avec une infinie tendresse.
— Vous êtes si belle. Toutes les nuits pendant l'entraînement, je n'ai cessé de penser à vous.
Stéphanie se sentait irrésistiblement attirée par ses lèvres.
— Jamais je n'ai désiré une femme autant que vous.
Il la prit dans ses bras puissants et la porta hors de l'eau. Elle se blottit contre lui ; le contact de sa peau encore humide du bain la fit tressaillir.
Neil posa ses mains sur sa gorge satinée et, lentement, fit glisser son maillot de bain en suivant des doigts les lignes voluptueuses de son corps. Sa bouche, avide, parcourut fébrilement sa peau frissonnante, exacerba la pointe de ses seins. Elle gémit doucement, chavira, ivre de plaisir. Tout son être s'ouvrait à l'amour.
Il se déshabilla d'un geste rapide et l'attira impérieusement à lui. Pour la première fois, leurs corps nus, enfiévrés, se touchaient, se reconnaissaient. Ils s'allongèrent sur l'un des matelas disposés au bord de la piscine et il la serra étroitement contre lui. De ses doigts caressants, il partit à la découverte de ce corps tant désiré. Enfin, il pouvait embrasser ses seins dorés, effleurer la peau veloutée de son ventre, le galbe ferme de ses cuisses.
Stéphanie, poussée par un feu dévorant, se tendit vers lui. Les doigts dans la toison sombre et bouclée de sa poitrine, elle dessina sur sa peau des arabesques brûlantes et sentit ses muscles puissants se raidir sous sa caresse.
Une excitation croissante, incontrôlable s'empara d'elle, transforma son corps en un brasier ardent, attisé par le souffle de la passion. Elle s'arqua

contre lui, épousa la forme de son corps dans un don total d'elle-même.

Lâchant enfin la bride de son désir, Neil vint à elle et elle s'abandonna tout entière à l'ardeur de sa passion. Lentement, ils parcoururent ensemble les chemins vertigineux de la volupté. L'extase suprême les emporta dans un même élan.

Epuisés, ils reprirent lentement conscience, se séparèrent à regret et rentrèrent dans la maison. Neil enveloppa Stéphanie d'une serviette moelleuse et la sécha avec une infinie douceur. Il s'essuya rapidement avant qu'elle ne vînt se lover au creux de ses bras. Il semblait à Neil qu'il tenait contre son sein le plus précieux trésor du monde.

Appuyés l'un contre l'autre, ils allèrent dans la chambre. Etroitement enlacés, ils sombrèrent rapidement dans un profond sommeil.

Le lendemain, elle fut réveillée par une pluie de petits baisers. Elle ouvrit de grands yeux étonnés et sourit. Penché au-dessus d'elle, Neil la regardait amoureusement.

— Bonjour, mon amour.

Il baisa tendrement la paume de sa main.

— Je suis désolé de vous réveiller, mais je ne voulais pas que vous croyiez que je m'étais volatilisé dans la nuit.

— Quelle heure est-il ? Vous devez partir ?

— Oui, à l'entraînement. Il est huit heures et il me faut une demi-heure pour aller au stade.

— Vous vous entraînez le lundi ? Je croyais que c'était votre jour de repos.

— Plus maintenant. Les entraîneurs ont décidé que nous travaillerions le lundi pour avoir le mardi libre. Serez-vous encore là à mon retour, tout à l'heure ?

— Je ne sais pas... Je pense que je vais rentrer travailler.

— Eh bien, je passerai vous chercher et nous irons dîner.

Il l'entoura de ses bras câlins, lui demanda d'une voix un peu anxieuse :

— Vous ne regrettez pas ce qui s'est passé ?

Elle sentit ses joues s'empourprer, et fit glisser ses mains le long de ses bras musclés.

— Non... Je n'ai jamais rien connu de tel. Même... même avec Tim.

Elle se mordit la lèvre. Pourquoi avait-elle dit cela ? Elle savait pourtant que Neil ne supportait pas qu'elle lui parle de Tim.

— Ma chérie...

Il blottit sa tête contre sa poitrine, merveilleusement douce, et caressa de sa joue sa peau satinée.

— Je n'ai pas envie de m'en aller.

— Si vous n'y allez pas, Cheyne se fera un plaisir de vous mettre à l'amende. A combien sont-elles maintenant ? Cent dollars ?

— Hum ! grommela-t-il. En l'occurrence, une pénalité n'aurait aucune importance...

Elle sentit son cœur battre à tout rompre.

— Vous... vous ne regrettez rien non plus ?

Il éclata de rire.

— Comme si vous ne le saviez pas.

— Je n'en étais pas certaine. Vous m'avez tant donné et moi, je n'ai fait que...

Il lui coupa la parole.

— Stéphanie, votre plaisir et le mien ne font qu'un.

Il se pencha vers elle et l'embrassa passionnément. Leurs souffles mêlés emplissaient leur poitrine d'un étrange trouble.

— Voulez-vous que je reste ?

Stéphanie secoua la tête à contrecœur.

— Il faut que vous y alliez pour vous maintenir en forme.

Elle ajouta, d'un air narquois.

— Et puis, cela pourrait nuire à nos... activités.

— Alors, j'y cours.

Il déposa un rapide baiser sur ses lèvres.

— A ce soir !

Stéphanie entendit la porte d'entrée se refermer. Les mains derrière la nuque, elle se laissa aller à la rêverie. Un sourire s'épanouit sur ses lèvres. Elle ne lui avait pas menti. Tous les baisers, toutes les caresses de Tim ne l'avaient jamais bouleversée comme Neil avait su le faire.

Soudain, elle se sentit violemment coupable d'avoir éprouvé du plaisir. Neil n'était qu'un ami. Mais comment expliquer alors le bouleversement de tous ses sens ? D'un bond, elle fut hors du lit et alla dans la salle de bains. Elle fut horrifiée en découvrant son visage dans la glace. Ses cheveux ébouriffés, qu'elle n'avait pas démêlés après le bain, lui donnaient l'air d'une vraie sorcière ! Et dire que Neil l'avait trouvée jolie ce matin !

Elle fureta dans les placards et trouva un drap de bain moelleux. La douche, dont les murs étaient recouverts de marbre rose, était somptueuse.

Une demi-heure plus tard, elle quittait la maison. Elle n'avait pas pris de petit déjeuner, gênée de prendre ses aises dans la maison de Neil en son absence. Elle monta dans sa voiture et se dirigea vers Phoenix. Sous la douche, elle avait établi son emploi du temps pour la journée. Tout d'abord, elle irait chez le coiffeur ; il fallait absolument que ses cheveux retrouvent un aspect plus convenable. Puis elle irait s'acheter une robe. Elle se sentait incapable de se concentrer sur son livre et n'avait plus qu'un seul souci : se faire belle pour Neil.

Une cliente s'était décommandée chez le coiffeur

et elle n'eut pas à attendre trop longtemps. Elle ressortit ravie de sa nouvelle coupe. Ses cheveux étaient un peu plus courts et on lui avait fait de charmantes boucles qui encadraient son visage et donnaient plus de volume à sa coiffure.

Elle se rendit dans une galerie marchande où elle s'acheta une robe de soie sauvage rose tyrien qui faisait ressortir son teint hâlé. Puis elle s'arrêta pour déjeuner dans une cafétéria. Il était deux heures de l'après-midi et elle mourait de faim.

Tout en mangeant, elle observait les tenues élégantes des femmes qui passaient dans la galerie quand, tout à coup, elle vit entrer Jill Byerly. Elle était l'amie de Neil avant le décès de Tim et la dernière personne au monde qu'elle souhaitait rencontrer ce jour-là ! Malheureusement, Jill l'aperçut et l'interpella. Stéphanie afficha son plus beau sourire et la salua.

De sa démarche souple de mannequin que Stéphanie lui avait toujours enviée, Jill vint vers elle.

— Comme c'est drôle de se rencontrer ici, vous ne trouvez pas ?

— Je suis venue faire quelques achats. Voulez-vous vous asseoir avec moi ?

— Non. Je partais travailler. Je suis mannequin chez Harold maintenant.

— Ah oui ?

L'attitude de Jill lui semblait bien distante. Elles n'avaient jamais été très proches, mais ce n'était pas une raison suffisante pour lui lancer des regards si hostiles.

Elle continua comme si de rien n'était.

— Il paraît que c'est un très joli magasin.

Jill fit une petite moue. Ses yeux lançaient des éclairs quand elle ajouta :

— Karen Randall est passée au magasin il y a

deux jours. Elle m'a dit qu'il y avait quelque chose entre Neil et vous.

Stéphanie crut qu'elle allait défaillir. Elle n'aurait jamais pensé que Jill puisse déjà être au courant, mais cela expliquait parfaitement son attitude. Elle était tout simplement jalouse !

Elle lui répondit :

— Enfin, il n'y a rien de sérieux entre nous.

Jill eut un petit rire sarcastique.

— Ce n'est peut-être pas important pour vous. Mais je suis étonnée que Neil ait patienté si longtemps.

— Que voulez-vous dire ? lui demanda Stéphanie, soudain inquiète.

Jill lui jeta un regard plein de mépris.

— Ne me dites pas que vous l'ignorez encore ?

— Mais quoi donc ?

— Neil est amoureux de vous depuis le premier jour où il vous a rencontrée.

Chapitre 10

Stéphanie, médusée, regarda fixement Jill avant de s'écrier vigoureusement :

— Ne dites pas de bêtises ! Neil n'est pas amoureux de moi !

— Ah, vous croyez ! Vous pouvez demander à n'importe qui et vous verrez. Il suffisait de voir la manière dont il vous regardait pour comprendre. Tim et vous étiez bien les seuls à ne pas le savoir. Neil vous a toujours aimée, mais sa noblesse d'esprit l'empêchait de vous l'avouer.

Les yeux brillants de rage, elle poursuivit :

— Même si j'avais été la femme la plus belle et la plus intelligente du monde, je n'aurais eu aucune chance auprès de lui. La seule qu'il voulait, c'était vous !

Cette révélation plongea Stéphanie dans une telle stupeur qu'elle fut incapable de parler. Comment était-ce possible ? Neil serait amoureux d'elle depuis toujours, et elle ne s'en serait même pas rendu compte ? Non, elle ne pouvait décidément pas y croire. Jill, jalouse d'avoir été éconduite, se vengeait, c'était tout.

Stéphanie s'éclaircit la gorge pour lui dire d'un ton qu'elle voulait serein :

— Neil et moi avons toujours été bons amis. Vous vous êtes méprise sur la nature de ses sentiments pour moi.

Jill lui éclata de rire au nez.

— Cela m'étonnerait fort. C'est vous qui n'avez strictement rien compris.

Jill, avant de lui tourner le dos, lui décocha son dernier trait.

— J'espère que Neil est parfaitement heureux, maintenant qu'il est comblé.

Son ton acerbe démentait totalement ses paroles.

Stéphanie la regarda traverser la galerie et baissa les yeux sur son assiette. Elle n'avait pratiquement rien mangé. Elle porta mécaniquement sa fourchette à sa bouche mais la reposa aussitôt. Son bel appétit s'était envolé ! Elle se leva, ramassa ses affaires et partit. Elle traversa le centre commercial et se rendit à sa voiture sans rien voir de ce qui l'entourait. Les paroles de Jill résonnaient encore dans sa tête. Comment croire que Neil l'aimait platoniquement depuis des années ! Neil et Tim étaient de grands amis et leur trio s'était formé de façon tout à fait naturelle. Cela avait peut-être été mal interprété. A moins que Jill n'ait préféré croire que Neil aimait la femme de son meilleur ami pour expliquer l'échec de leur propre relation. Jill ne disait pas la vérité, elle en était certaine. L'attirance qu'elle partageait avec Neil était toute nouvelle.

Etait-il possible que Neil ne lui ait rien dit ? Et pourquoi pas, après tout. Cela lui ressemblerait bien d'aimer quelqu'un sans le lui avouer. Il se serait tu par amitié pour Tim et parce que cela n'aurait servi à rien qu'elle le sût. Sa volonté de fer lui aurait permis de ne rien dévoiler de son secret. Cela pourrait même expliquer beaucoup de choses... Combien de fois n'avait-elle pas surpris son regard posé anxieusement sur elle ? Un jour, à une soirée, il l'avait abandonnée en plein milieu d'une danse et avait quitté la salle, l'air furieux. L'autre soir, après le match, il lui avait violemment reproché son attachement à Tim. Une fois même, à la fin d'une autre soirée bien arrosée, ne lui avait-il pas dit qu'il aurait voulu être à la place de Tim ? Et comme il s'était montré doux et prévenant la nuit dernière ! Elle songea encore à son attitude le jour où Tim l'avait frappée.

Cela s'était passé dans les premiers temps de la maladie de Tim. Son comportement était déjà modifié par sa tumeur mais, à l'époque, on ignorait encore tout de son état. Il devenait de plus en plus lunatique, piquait sans motif de terribles colères chez des amis et quittait parfois la maison sans raison, dans une rage folle. Stéphanie n'avait pas compris ce qui l'avait énervé ce soir-là, mais il commença soudain à marcher de long en large dans le salon en se plaignant d'être sans cesse harcelé par ses supporters. Stéphanie, irritée par son attitude des derniers temps, lui avait répondu un peu sèchement et il avait retourné sa colère contre elle. Le ton était rapidement monté. Brusquement, il lui avait donné une gifle percutante qui l'avait projetée contre le mur. Ils s'étaient alors regardés sans mot dire, l'air aussi surpris l'un que l'autre.

Puis Tim s'était lancé dans de vagues excuses avant de prendre sa tête entre ses mains. Avec un air accablé, il s'était laissé tomber sur le canapé. Prise de panique, Stéphanie s'était précipitée dans sa voiture et, sans réfléchir, avait pris la direction de chez Neil. Elle savait que, là-bas, elle serait en sécurité. Durant tout le trajet, des larmes de dépit coulèrent sur son visage.

Arrivée chez Neil, elle frappa frénétiquement à la porte. Neil lui ouvrit quelques instants plus tard, visiblement exaspéré par ce vacarme. Dès qu'il l'avait vue, le visage noyé de larmes et marqué par le coup que lui avait donné Tim, une profonde douleur était apparue dans ses yeux. Il lui avait proposé de rentrer pour la presser de questions, cherchant à savoir ce qui s'était passé. Jill les avait rejoints, le visage empreint d'une profonde stupéfaction.

— Tim m'a battue !

Les yeux de Neil exprimèrent une sombre rage et il courut vers sa voiture en vociférant.

— Il ne perd rien pour attendre ! Il va voir de quel bois je me chauffe !

Stéphanie et Jill durent unir toutes leurs forces pour le contenir. Elles le ramenèrent dans la maison et il disparut dans la cuisine. Quelques instants plus tard, il revenait avec de la glace et l'appliquait sur la joue meurtrie de Stéphanie. Longuement, ils discutèrent de Tim ce soir-là, et aboutirent à la conclusion qu'il fallait absolument qu'il vît un médecin.

Que signifiait donc la rage de Neil à cet instant ? Avait-il voulu venger Stéphanie par amour pour elle ? La fureur avait-elle fait tomber son masque ?

Ces questions l'obsédèrent tout l'après-midi. Elle savait que Neil passerait la voir à la fin de son entraînement et elle était la proie d'un déchirant conflit intérieur. Qu'adviendrait-il d'eux quand elle apprendrait la vérité ? Mais elle ne pouvait rester plus longtemps dans l'incertitude, au risque de ne plus jamais revoir Neil. Ce matin même, elle était aux anges ; cette révélation avait tout changé ! Si Neil était amoureux d'elle, leur relation amoureuse prenait une valeur qui ne correspondait pas à ce qu'elle éprouvait pour lui. Elle ne pourrait plus se sentir à l'aise avec lui, maintenant qu'il lui apparaissait sous un jour totalement nouveau. Quelle attitude adopter s'il existait entre eux un tel décalage ?

Elle rumina tant ces pensées qu'elle eut tout juste le temps de s'habiller avant que Neil sonne à sa porte. Elle avait changé d'avis et décida de ne pas porter sa nouvelle robe. Elle passa un ensemble mexicain haut en couleur, composé d'une jupe et d'une tunique blanche aux multiples motifs brodés dans lequel Neil l'avait souvent vue.

Elle entendit un double coup de sonnette. C'était lui ! Tremblante, elle alla lui ouvrir. Cette situation n'était décidément pas vivable ; il était vital qu'elle lui parle le plus tôt possible.

Elle le découvrit adossé au mur du porche, les bras sur la poitrine, les chevilles négligemment croisées. Une lueur troublante brillait dans ses yeux et Stéphanie sentit une douce langueur l'envahir.

— Bonjour, dit-elle timidement.

Il lui sourit et fit un pas vers elle. Il la saisit par les épaules et l'étreignit dans un long baiser où s'exprimait toute la fougue dont il était capable. Le cœur de Stéphanie battit furieusement. Quand il relâcha son étreinte, elle sentit ses jambes fléchir sous elle. Quel mystérieux pouvoir exerçait-il sur elle pour lui causer un tel émoi ?

Il la suivit dans la maison. Stéphanie sentit peu à peu son cœur s'apaiser et sa respiration reprit un cours normal. Elle chercha désespérément un sujet de conversation anodin car elle ne savait comment aborder la question qui lui brûlait la langue.

— Comment s'est passé l'entraînement ?

Il fit une petite grimace comique.

— Ce fut pénible, comme tous les lendemains de match. J'ai dû négliger un peu mon bain, hier soir.

Une lueur de malice passa dans ses yeux. A son grand désespoir, Stéphanie sentit ses joues s'empourprer. Neil s'installa dans le canapé du salon et lui fit signe de venir s'asseoir à côté de lui.

— Non, je vais préparer le dîner.

Il leva un sourcil interrogateur.

— Mais il n'est que quatre heures. Et puis

n'avions-nous pas dit que nous irions dîner dehors, ce soir ?

— Oui, mais je préfère que nous restions ici.

Elle s'éclaircit la voix.

— Vous désirez boire quelque chose ?

— Non, merci. Venez donc vous asseoir à côté de moi. Nous pourrons parler tranquillement.

Elle le rejoignit et se pelotonna contre lui.

— Alors dites-moi, qu'avez-vous fait aujourd'hui ?

— Pas grand-chose. Je n'ai pas réussi à travailler...

Neil eut un petit sourire très suggestif.

— Il n'y a rien de drôle à cela. Ne me regardez pas ainsi, lui dit-elle, troublée.

— Pardon, répondit-il avec un air malicieux.

— Vous êtes vraiment impossible.

— Alors qu'avez-vous fait si vous n'avez pas travaillé ?

— Je suis allée faire du shopping au Biltmore Park.

Elle tenait enfin là une introduction idéale. Elle se mordit la lèvre. Il fallait absolument qu'elle lui parle maintenant, même s'il lui en coûtait. De toute façon, elle devrait le faire tôt ou tard.

— J'ai rencontré Jill Byerly par hasard.

— Ah, oui !

Elle sentit ses bras musclés se tendre imperceptiblement.

— Et comment va-t-elle ? poursuivit-il.

— Elle m'a semblé plutôt amère.

Neil soupira.

— Elle savait pourtant dès le début que je ne l'aimais pas, mais elle a refusé de l'admettre. J'ai préféré partir pour ne pas lui faire de mal.

— Elle m'a dit que, de toute façon, vous n'auriez pas pu tomber amoureux d'elle. C'est vrai ?

— Oui.

— Pourquoi ?

Neil lui jeta un regard soupçonneux.

— Peu importe ! C'est du passé. Cela n'a rien à voir avec nous.

— Ce n'est pas l'avis de Jill.

Le visage de Neil prit une expression résignée.

— Que vous a-t-elle dit ? lui demanda Neil.

— Elle... elle m'a dit que vous avez été amoureux de moi dès le premier jour où vous m'avez vue. Neil, est-ce que c'est la vérité ?

— A vous entendre, on pourrait croire que c'est un crime.

— Bien sûr que non. Mais c'est important.

Il la dévisagea longuement.

— Eh bien, oui. Je vous aime depuis très longtemps et, si Tim n'avait pas été mon ami, j'aurais tout fait pour vous séparer. Vous êtes contente, maintenant ?

Stéphanie hocha la tête, pensive.

— Et dire que je ne le savais pas ! Je ne me suis jamais rendu compte de rien.

— Fallait-il que vous le sachiez ? Je vous ai évité une situation désagréable, Stéphanie.

Il lui prit les mains et les serra très fort dans les siennes.

— Voyons, cela ne change rien pour nous.

— Vous croyez ? dit-elle en se dégageant de son étreinte.

Elle alla à la fenêtre et regarda le jardin.

— J'ai l'impression que vous ne m'avez jamais montré votre vrai visage.

— Vous m'accusez de vous avoir menti ?

— Non, bien sûr que non. Enfin, pas tout à fait.

— Quoi qu'il en soit, ni vous ni Tim n'en avez souffert.

— Mais, vous par contre...

— C'était le choix que j'avais fait, et si j'en souffrais, je ne pouvais m'en prendre qu'à moi-même.

— Je ne peux pas m'empêcher de me sentir responsable, comme si je m'étais interposée entre vous et Tim.

— Pour moi, ce serait plutôt Tim qui s'interposait entre nous. S'il s'était agi de quelqu'un d'autre, j'aurais tout fait pour que vous soyez à moi. Mais vous ne m'avez pas fait souffrir et je n'ai pas trahi Tim. Alors, pouvez-vous me dire où est le mal dans tout cela ?

— Je ne sais pas, peut-être n'y en a-t-il aucun ; il n'empêche que je ne me sens pas à mon aise.

Elle posa sur Neil un regard lourd de compassion.

— Je suis vraiment navrée.

— Je ne veux pas de votre pitié, répliqua-t-il d'un ton cinglant. C'est un sentiment que je déteste. J'ai choisi de vous aimer et, si je n'en ai rien dit, c'était pour préserver notre amitié. Vous n'avez rien à vous reprocher et aucune raison de me plaindre.

— Ne vous vexez pas. Mais vous ne pouvez pas m'empêcher d'être émue à l'idée de ce que vous avez dû endurer.

— Je n'ai pas été malheureux, Stéphanie, et je ne vois pas le mal qu'il y a à ce que je vous aime.

Stéphanie poussa un profond soupir.

— Je n'en suis pas si sûre. Vous ne voyez donc pas que cela nous met dans une situation terriblement embarrassante.

— Comment cela ?

— Maintenant que je sais que vous m'aimez, si vous êtes malheureux, ce ne pourra être que par ma faute. Et, je ne le veux pas ; je vous apprécie bien trop.

— N'ayez crainte, je ne serai pas malheureux si je peux vous aimer, bien au contraire.

— C'est peut-être vrai aujourd'hui, mais vous et moi ne vivons pas la même chose. Tôt ou tard, vous en souffrirez. Pour l'instant, vous êtes comblé, mais un jour viendra où vous ne vous contenterez plus de cette relation. Vous aurez envie de réciprocité.

Neil se tut un moment puis lui dit d'une voix sourde :

— Est-ce impossible ? Pensez-vous ne plus jamais être amoureuse ? A moins que vous n'ayez fait vœu de fidélité éternelle à Tim.

Stéphanie cilla.

— Non, j'imagine que je serai à nouveau amoureuse un jour. Enfin, je l'espère mais...

— Mais ce ne sera pas de moi, c'est cela ?

Stéphanie se sentit rougir jusqu'aux yeux.

— Qui sait ? Là est toute la question. Dans ce domaine on est sûr de rien.

— Je le sais bien.

Il se leva et vint vers elle, en enfonçant les mains dans les poches de son jean.

— Stéphanie, avez-vous une idée de la façon dont je suis devenu un brillant quart arrière ?

Interloquée par ce brusque changement de sujet, elle lui demanda :

— Que voulez-vous dire ?

— Il faut que je vous parle de moi... Mes aptitudes ne me destinaient pas particulièrement à devenir footballeur professionnel. Mais je savais ce que je voulais et je finis toujours ce que j'ai entrepris. Et puis, je sais être patient sans jamais me détourner de mon but. C'est pour cela que je suis persuadé que vous m'aimerez un jour.

Il lui prit le menton dans un geste très doux.

— Je vous aime, Stéphanie, et je ferai tout pour que vous m'aimiez ; mais je ne vous forcerai pas à vous engager contre votre gré.

Il se tut puis reprit :

— Et puis, je sais accepter les coups du sort. Je déteste perdre un match mais je peux accepter la défaite s'il le faut.

— Vous dites cela pour moi aussi ?

Il lui sourit.

— Pourquoi pas ?

Elle lui répondit d'un ton acerbe.

— C'est vrai, pourquoi serais-je vexée d'être comparée à un match de football ?

Il étouffa un rire et prit ses mains dans les siennes.

— Stéphanie ! Vous représentez ce qu'il y a de plus important dans ma vie. Je voulais simplement vous dire que je peux vous aimer, tout faire pour conquérir votre amour et, en même temps, accepter de ne pas y parvenir. Vous devez me croire, Stéphanie.

Elle retira ses mains des siennes et lui tourna le dos.

— Je ne sais pas. Tout cela est tellement étonnant.

Elle sentit l'étau de ses mains se refermer sur son poignet ; il la força à lui faire face.

— Ecoutez-moi. J'ai décidé, il y a longtemps déjà, de vous aimer et je sais que je cours le risque d'un échec. Mais même si j'en souffre, cela ne regarde que moi. J'ai passé le temps des enfantillages et je sais parfaitement ce que je fais. Je vous désire depuis des années et, hier soir, vous m'avez donné bien plus que vous n'imaginez. Stéphanie, je veux être heureux et je veux que vous le soyez aussi. C'est aussi simple que cela.

Stéphanie fronça les sourcils.

— Les choses ne sont pas aussi simples que vous voulez bien le dire.

— Détrompez-vous. Moi aussi, je sais me compliquer inutilement l'existence. Quand Tim est mort, je me suis senti atrocement coupable, comme si mon amour pour vous l'avait tué. Je repensais à toutes les fois où j'avais souhaité qu'il ne soit plus là, entre vous et moi, et je me détestais parce que c'était finalement arrivé. Je me suis rendu terriblement malheureux. Mon amour pour vous était mêlé de culpabilité et de remords, je n'ai pas pu le supporter. Si je me suis éloigné de vous, c'était pour me punir d'avoir trop pensé à la disparition de Tim, tandis que je convoitais sa femme. Dieu que j'avais envie de vous !

Neil ferma les yeux un bref instant.

— Et puis je me suis rendu compte qu'à vivre dans le passé, j'étais en train de ruiner toutes mes chances de bonheur. Ce qui compte, Stéphanie, c'est le moment présent. Et ce n'est pas parce que je vous aime depuis longtemps que cela doit nous empêcher de nous aimer aujourd'hui.

Il lui prit les mains et, lentement, se mit à dessiner de ses pouces de petits cercles sur sa peau. Ce simple geste réveilla en Stéphanie des frissons qu'elle avait voulu étouffer après la révélation de Jill. Elle désirait Neil. La nuit passée elle avait découvert un monde de délices. Pourquoi ne pas jouir de l'instant présent et céder aux élans de son corps ? Neil avait raison. Il avait décidé de l'aimer en adulte, conscient de ses choix. De quel droit voulait-elle s'opposer au désir qui les dévorait ? C'était, au fond, totalement absurde.

Elle regarda Neil et son visage s'éclaira d'un doux sourire. Le film de leur nuit précédente repassa devant ses yeux. Comme la satisfaction de Neil avait dû être profonde après tant d'années d'attente ! Malgré son impatience, il s'était montré si doux, si prévenant. Brusquement, Stéphanie ressentit le besoin impérieux de le satisfaire avec une ardeur égale à celle qu'il avait montrée la veille. Elle lança, tout à coup :

— Mais que faisons-nous là, à discuter ? J'aurais cru qu'un don Juan de votre espèce m'aurait depuis longtemps attirée dans sa chambre.

Il sourit à sa plaisanterie.

— Il se peut que ma réputation dépasse mes capacités, lui répondit-il.

— Ne vous sous-estimez pas !

Stéphanie lui prit la main et ajouta :

— Venez, j'ai une surprise pour vous.

Elle le conduisit dans la chambre.

— Une surprise ?

— Je vais vous faire un massage. Cela vous fera le plus grand bien, après l'entraînement.

— Je n'ai rien contre.

Stéphanie le poussa légèrement vers le lit.

— Déshabillez-vous.

— Complètement ?

Stéphanie éclata de rire.

— Oui, déshabillez-vous et allongez-vous.

Neil éclata de rire à son tour. C'est vrai qu'il osait à peine croire à son bonheur !

— Pardonnez-moi, je suis un grand timide, lui répondit-il en se déshabillant.

Tandis qu'il déboutonnait sa chemise, Stéphanie courut dans la salle de bains. Il fallait qu'elle retrouve le flacon d'huile parfumée qu'elle utilisait autrefois pour masser Tim. Mais où était-il donc ? Là ! Au fond du placard !

Elle trouva Neil allongé à plat ventre sur le lit. Elle se dévêtit à son tour, puis posa sa bague sur la table de chevet pour ne pas blesser Neil en le massant. Elle s'assit en tailleur sur le lit, à côté de Neil, seulement vêtue de ses sous-vêtements de soie.

Les doigts plongés dans l'épaisse chevelure sombre de Neil, elle décrivit des lignes concentriques sur son cuir chevelu et sa nuque. Neil poussa un soupir de satisfaction et elle sentit son corps musclé se détendre sous ses doigts. Elle mit alors un peu d'huile dans le creux de sa main, attendit qu'elle se réchauffe au contact de sa peau, et, parcourant du regard le dos puissant de Neil, remarqua un bleu très étendu sur son omoplate gauche.

— Neil, que vous est-il arrivé ? interrogea-t-elle.

— De quoi parlez-vous ? lui dit-il en tournant la tête vers elle.

— Ce bleu, dit-elle en effleurant sa peau meurtrie.

— Oh, je ne sais pas ! J'ai dû recevoir un coup pendant le match.

Stéphanie se mordit la lèvre. Avait-elle déjà oublié ? Tim aussi revenait des matches plein de bleus et d'écorchures. Un jour, Tim avait reçu un coup qui lui avait contusionné toute la poitrine. Elle regarda plus attentivement le dos bronzé de Neil. Il portait une petite cicatrice au-dessus des reins.

— Et cela ? demanda-t-elle en la touchant du bout des doigts.

— Je me suis coupé sur un crampon quand j'étais au lycée.

Stéphanie ferma les yeux et se souvint. Tim avait souffert quand il avait eu deux côtes enfoncées. Chaque inspiration lui était douloureuse ; il ne pouvait même plus rire. Elle rouvrit les yeux et son regard tomba sur la cicatrice au coude de Neil. Puis elle regarda ses jambes musclées : d'innombrables bleus marquaient sa peau. La courbure du petit doigt de sa main gauche s'était modifiée à force d'avoir eu le doigt si souvent cassé.

— Mais qu'est-ce qui vous fait jouer à un jeu pareil ?

Etait-elle prête à partager à nouveau la vie d'un homme dont la plus chère ambition était de jouer au football et de rentrer chez lui, roué de coups ?

— Ce sont les risques du métier, lui répondit-il.

— Je ne crois pas que le jeu en vaille la chandelle, rétorqua-t-elle d'une voix mordante.

— Je me le demande, parfois...

Il tourna la tête vers elle.

— Je dois être masochiste.

— Cette pensée m'a déjà effleuré l'esprit.

— Vous ne croyez donc pas aux vertus de l'effort ?

— Si, mais dans votre cas c'est pratiquement de l'automutilation.

— Mais c'est pour mieux vous apitoyer.

Stéphanie haussa les épaules. Neil poursuivit d'un ton moqueur :

— Pourquoi avez-vous arrêté de me masser ? Etes-vous tombée à la renverse à la vue de mon corps d'athlète ?

Stéphanie sourit à sa plaisanterie.

— Pas du tout !

Elle étala l'huile dans ses mains et commença un lent massage de son dos tout en évitant soigneusement de toucher son omoplate meurtrie. Ses muscles crispés se détendaient peu à peu. Neil poussa un long soupir de satisfaction et lui demanda :

— Pensez-vous que vous pourriez me masser après chaque match ?

— C'est envisageable. Cela vous plaît ?

— Oui. Trop ! Je ne peux déjà plus résister.

— Mon massage a pourtant été très sage. Attendez un peu, dit-elle avec malice.

Stéphanie fit glisser ses mains le long de son dos puissant ; ses doigts s'enfoncèrent dans la chair ferme de ses reins. Neil laissa échapper un profond soupir. Elle plaqua ses mains contre lui et dessina des lignes brûlantes sur le contour de ses muscles. Voluptueusement, ses doigts glissèrent sur ses cuisses fermes et musclées. Avides, ses baisers coururent sur sa peau.

— Stéphanie, que cherchez-vous à me faire ?

— Je crois y être parvenue, dit-elle, en sentant son corps athlétique tressaillir sous ses doigts. Vous aimez ?

— Evidemment !

— Alors, laissez-moi faire. Je n'ai pas terminé.

De sa langue, elle parcourut ses jambes, allant et venant, insatiable. Tendrement, elle taquina ses pieds, lui mordilla les orteils.

— Je n'aurais jamais cru que les pieds étaient si sensibles aux caresses, dit-il d'une voix enrouée.

Il se renversa sur le dos. Sensuelle, elle s'étendit frémissante sur lui. Le souffle court, Neil enlaça son cou et approcha son doux visage de ses lèvres. Le regard plongé dans l'eau vive de ses prunelles, il fit courir sa langue sur son cou. Stéphanie s'agrippa à lui. Leurs bouches se mêlèrent, affamées. Dès qu'il emprisonna ses jambes, elle se pressa contre lui.

Fébrilement enlacés, ils roulèrent sur le lit. Puis Neil desserra son étreinte et se recula pour mieux graver en lui l'image de ce corps chéri. Sensuels, ses doigts emprisonnèrent les douces rondeurs de sa poitrine. Stéphanie frissonna longuement. Sous les caresses expertes de Neil, ses seins se tendirent ; instinctivement, elle se souleva vers lui.

— Je vous veux, Neil, dit-elle d'une voix tremblante de passion.

Il ferma les yeux et hoqueta pour retrouver son souffle.

— Je dois vous rendre votre massage. Tournez-vous.

Docile, elle lui obéit avec langueur. Il la déshabilla avec une extrême lenteur, attisant son impatience. Enjôleuses, les mains de Neil semblaient voler sur le corps lisse de Stéphanie. Cette danse exquise communiqua à Stéphanie une indicible fièvre. Elle gémit de bonheur.

Il la renversa sur le dos et s'allongea sur elle.

L'urgence de son désir mit au comble l'excitation de Stéphanie ; elle se cambra vers lui dans un ultime élan.

Il s'unit enfin à elle et leurs corps, vibrant de passion, furent emportés dans la danse voluptueuse du plaisir. Quand il franchit les limites du désir, Stéphanie le rejoignit à la même seconde, dans une communion parfaite. Elle enfouit son visage au creux de son épaule pour étouffer le cri qui montait du plus profond d'elle-même.

Leurs corps mêlés, ils restèrent de longues minutes plongés dans un univers intemporel. Pour rien au monde, ils ne voulaient briser par des mots le charme magique qui les unissait. Stéphanie écouta la respiration saccadée de Neil s'apaiser, puis ils glissèrent dans un profond sommeil.

Quand elle se réveilla, elle fut décontenancée de ne pas le trouver à ses côtés. Où était-il donc ? Un rayon de soleil filtrait entre les volets et baignait la chambre de la douce lumière du matin. Elle discerna un faible mouvement dans la salle de bains, attenante à la chambre. Neil était debout, en slip, devant le lavabo, la barbe recouverte d'une épaisse mousse rosée. Il renversa la tête en arrière pour se raser dans le cou et fit une grimace de douleur quand le rasoir le coupa.

— Bon sang !

Stéphanie eut un rire étouffé. Il se retourna vers elle et lui lança un regard noir.

— Pouvez-vous m'expliquer ce que les femmes ont contre les rasoirs aiguisés ? Il y a de quoi se tuer à utiliser un engin pareil.

Stéphanie s'assit dans le lit et cala un oreiller derrière son dos.

— Mais c'est tout simple. Ce rasoir est fait pour se raser les jambes et non la barbe.

Elle lui adressa un grand sourire et ajouta, moqueuse :

— Je trouve que cette mousse rose s'harmonise à merveille avec la couleur de vos cheveux.

Il lui répondit d'un ton bourru :

— Elle a une odeur détestable.

Stéphanie cita avec ironie son texte publicitaire.

— Cette mousse délicatement parfumée est faite pour convenir au goût des femmes les plus raffinées.

Il eut un léger sourire.

— Qu'est-ce qu'on ne va pas inventer !

Stéphanie appuya sa tête contre le montant du lit et le regarda se raser. Le spectacle de ce rituel typiquement masculin l'emplit de joie. Elle se rendit tout à coup compte que sa vie depuis la mort de Tim n'avait été qu'un désert aride. Elle sentit les larmes lui monter aux yeux.

Elle se leva et alla le rejoindre dans la salle de bains. Elle se glissa derrière lui et passa les bras autour de sa taille. Amoureusement, elle déposa de petits baisers sur son épaule. Neil lui sourit dans le miroir et, de son bras libre, la serra contre lui. Elle l'embrassa avec force avant de se détacher de lui à regret.

Elle entra dans la douche et régla la température de l'eau. Quelques minutes plus tard, son cœur battit à coups redoublés quand Neil vint la rejoindre. Il lui prit le savon des mains et entreprit de la couvrir de mousse. Puis, ce fut au tour de Stéphanie de le savonner. Mais, très vite, leurs caresses devinrent plus chaleureuses. Ils s'aimèrent avec délices sous la douce caresse de l'eau qui les enveloppait.

Au sortir de la douche, Neil s'habilla pour aller chercher le journal dans la boîte aux lettres. Il enfilait son jean quand il lui dit en riant :

— Il va falloir que j'amène quelques affaires ici, si je tiens à me changer et à être rasé correctement.

Il se tut brusquement et lui jeta un regard inquiet.

Stéphanie comprit qu'il attendait une invitation. A l'idée que Neil allait venir vivre avec elle, sa poitrine se gonfla de joie. Elle lui adressa son plus beau sourire.

— Mais bien sûr. Je ne voudrais pas que vous vous blessiez avec mon rasoir.

Il lui sourit et quitta la pièce en sifflotant gaiement. Stéphanie s'habilla. Elle choisit de porter la tenue qu'elle avait achetée, la veille. Elle fixa une paire de boucles d'argent à ses oreilles. Sa main se tendit vers l'alliance qu'elle avait ôtée avant de dormir avec Neil, mais elle n'acheva pas son mouvement. Elle la fixa longuement, la fit glisser dans le creux de sa main, puis alla l'enfermer dans un des petits tiroirs recouverts de velours de sa boîte à bijoux.

Son regard s'attarda longuement sur le coffret. Quand elle sortit de la chambre, elle avait dit adieu à son passé.

Chapitre 11

Stéphanie déposa sur la table l'encombrant dossier qui était sur ses genoux. Il contenait sa correspondance avec différentes personnes concernées par le kidnapping Willoughby. Il lui avait d'abord fallu entrer en contact avec les familles, amis ou employeurs pour avoir leurs coordonnées. Puis, dans un second temps, elle leur avait écrit. Dans certains cas, elle n'avait même pas obtenu de réponse. Dans d'autres, elle avait reçu des lettres où le mensonge côtoyait une profonde méfiance à son encontre. Mais, heureusement, elle avait pu obtenir quelques rendez-vous et un certain nombre de rapports concis et clairs sur le déroulement du drame.

Stéphanie parcourait le dossier en éliminant le courrier inutile. Neil, pendant ce temps, regardait un match de football à la télévision. Elle leva les yeux du dossier et jeta un coup d'œil vers lui. Il était allongé sur le canapé, les pieds posés sur un accoudoir, la tête calée dans des coussins. Ses bras reposaient sur sa poitrine et, d'une main, il se tenait le menton, totalement captivé par le match. Stéphanie secoua la tête, médusée par sa complète impassibilité. Stéphanie avait toujours pensé qu'elle savait parfaitement s'isoler de ce qui l'entourait, pour lire, par exemple; mais les capacités de concentration de Neil étaient vraiment exceptionnelles. Pas un muscle de son corps ou de son visage ne tressaillait ; sa poitrine se soulevait très lentement, on aurait pu croire qu'il dormait si ses grands yeux ouverts n'avaient prouvé le contraire.

Un léger sourire se dessina sur les lèvres de Stéphanie. Ils venaient de passer deux semaines de bonheur parfait. Comme ils se connaissaient depuis longtemps, ils n'avaient pas eu à passer l'étape de la découverte des petites manies de l'autre qui accompagne souvent le début de toute relation amoureuse. Stéphanie avait déjà éprouvé l'étonnement de voir Neil recouvrir ses œufs brouillés de sauce tabasco ; quant à lui, il savait déjà qu'elle ne s'intéresserait jamais à toutes ses activités sportives. Ainsi, Stéphanie lisait, confortablement installée dans le canapé pendant que Neil enchaînait longueur sur longueur dans la piscine. Et, au petit déjeuner, Stéphanie mangeait ses toasts et ses fruits en évitant soigneusement de regarder l'assiette de Neil.

Ils adoraient discuter ensemble et leur sens de l'humour se complétait à merveille. Une douce atmosphère de volupté enveloppait toute leur relation et leur faisait savourer chaque instant passé ensemble. Stéphanie attendait avec impatience qu'il revienne de l'entraînement et ils se retrouvaient avec une fougue égale à celle du premier jour.

Ils ne s'étaient pas quittés depuis quinze jours, à l'exception du week-end précédent, quand l'équipe était partie jouer à l'extérieur. Stéphanie avait souffert de son absence comme elle n'avait encore souffert de l'absence de qui que ce soit. C'était étrange... Quand elle vivait avec Tim, elle préférait qu'il joue des matchs à l'extérieur, car elle avait du mal à supporter son humeur détestable avant chaque rencontre. Elle fronça les sourcils et étudia Neil de plus près. Il était toujours parfaitement immobile. Elle referma son dossier et se décida à lui parler.

— Dites-moi, Neil...

Elle s'éclaircit la gorge avec ostentation : il ne l'avait pas entendue.

— Monsieur Moran !

Neil détacha enfin son regard de l'écran et la regarda, l'air interrogateur.

— Oui ?

— N'êtes-vous jamais dévoré par l'anxiété ? A moins que vous ne soyez assez fort pour la dissimuler ?

— Je ne comprends pas très bien, dit-il d'un ton surpris.

— Vous savez bien de quoi je parle : la tension, la peur, l'excitation qui précèdent chaque épreuve.

— Oh, je vois ! Vous savez, j'attends avec une impatience toute relative ce match qui ne présente pas d'intérêt particulier. Je ne commencerai pas à être anxieux avant demain matin. Ce n'est pas la peine que je brûle mon énergie pour rien.

Stéphanie eut un rire étouffé.

— Vous êtes bien la seule personne au monde que je connaisse qui soit capable de décider sciemment si, oui ou non, cela vaut la peine de s'inquiéter.

— Belle preuve de sang-froid, non ?

Neil lui sourit, s'assit sur le bord du canapé et se lança dans une explication :

— Ce n'est pas que la perspective d'un match n'a aucun effet sur moi. Bien au contraire, j'aime trop le football pour cela. Mais j'ai appris à canaliser mes émotions, à les utiliser à des fins constructives au lieu de m'énerver bêtement. Quand j'étais au lycée, j'étais si anxieux avant les matchs que je n'en dormais pas de la nuit. Je ne retenais rien de ce que j'apprenais en cours. Une fois à l'université, je me suis rendu compte que je ne pouvais pas continuer à dépenser mon énergie de cette façon. Cela nuisait autant à mes études qu'à mon jeu. Un jour, avant un match, pour me défouler, j'ai frappé la porte de mon vestiaire. Je me suis cassé le petit doigt et je n'ai évidemment pas pu jouer. L'entraîneur m'a alors pris à part et m'a expliqué que je courais à ma perte si je continuais à me comporter ainsi. J'ai bien dû reconnaître qu'il avait raison et j'ai aussitôt appris à me décontracter.

— Vous voulez dire que vous avez fait de la relaxation ?

— Oui. J'ai appris à me concentrer sur autre chose. Je n'ai pas refoulé mes émotions mais j'ai appris à les contrôler et à utiliser mon énergie à bon escient.

Stéphanie secoua lentement la tête.

— Vous êtes étonnant. Et c'est de cette façon que vous vous débarrassez aussi de votre peur ?

— Que voulez-vous dire ?

Il parut soudain comprendre.

— Vous me demandez en fait pourquoi je ne suis pas pâle d'anxiété comme l'était Tim, pourquoi j'arrive à manger normalement sans souffrir de maux d'estomac ?

— Oui. Il était insupportable les veilles de matchs. Il était nerveux, irritable, anxieux. Il repassait dans sa tête le film des matchs précédents et se reprochait amèrement ses fautes de jeu.

— Et mille autres choses encore, continua-t-il.

— Exactement. Il entretenait avec le football une relation trop passionnelle. C'était un joueur éblouissant mais il manquait totalement de confiance en lui, je ne vous apprends rien. En fait, c'est un phénomène normal, quand on est amené à faire face à un public, qu'on soit acteur, chanteur ou sportif. Même les écrivains doivent connaître ce sentiment, et se posent des questions telles que : et si j'échoue ?

Et si le public n'aime pas ce que je fais ? Et si je m'étais trompé pendant toutes ces années et qu'en fait je n'aie aucun talent ?

— C'est vrai, reconnut Stéphanie. Parfois, quand je suis assise à ma machine à écrire, je suis glacée de peur et je pense aux milliers d'autres choses que j'aurais pu entreprendre.

— Mais c'est normal. Moi aussi, cela m'arrive, mais je fais en sorte de me maîtriser. J'avais un entraîneur qui disait toujours : « Certains d'entre vous, les gars, sont des pur-sang, mais les autres doivent admettre qu'ils ne sont que des canassons. » Tim était un pur-sang. Il était nerveux, farouche, angoissé et très doué. Mais il n'était pas conscient de ses qualités et, de surcroît, il craignait de n'être jamais assez bon aux yeux de son père. Vous souvenez-vous ?

— Oui, très bien.

— Le football était ce qui comptait le plus au monde pour son père et Tim devait être le meilleur. Mais Tim n'aimait pas le football de la même façon que moi. Il ne connaissait pas la pure joie de jouer, le plaisir de la lutte contre l'adversaire. Pour lui, ce n'était pas un jeu, mais une manière de se prouver à lui-même qu'il était encore et toujours le meilleur.

Stéphanie étudia Neil tandis qu'il parlait. Ses yeux brillaient d'une joie authentique en évoquant le plaisir du jeu. Jusque-là, elle avait cru que, comme Tim, il considérait le football comme un ennemi. Mais elle s'était trompée. Neil aimait vraiment ce jeu.

— Le football est une chose capitale pour vous, non ?

— Bien sûr. J'y joue depuis l'âge de onze ans. Cela fait vingt et un ans que je pars m'entraîner à chaque automne et à chaque printemps. J'avais décidé d'en faire ma carrière alors que j'étais encore lycéen. Mais j'ai d'autres centres d'intérêt. J'ai placé de l'argent dans des affaires et les ordinateurs me fascinent. Bien que cela n'ait rien à voir avec le football. Il manque l'excitation du danger, de la lutte pour la victoire. Quand j'arrêterai de jouer, je saurai bien comment occuper mon temps mais, en attendant, je veux continuer aussi longtemps que possible.

— J'espère pour vous que le jour de votre retraite est encore très loin.

Stéphanie vint le rejoindre et blottit sa tête contre sa poitrine. Il lui passa les bras autour du cou et embrassa tendrement ses cheveux fauves. Il aurait voulu lui dire que, tant qu'elle serait à ses côtés, il ne redouterait pas de s'arrêter de jouer, mais comment le lui avouer sans l'effrayer ? Il lui avait fait la promesse de ne pas lui parler d'amour.

Elle leva la tête pour rencontrer son regard.

— Venez-vous au match demain ? lui demanda-t-il.

— Oui.

— Et vous utiliserez ma place gratuite ?

Stéphanie hésita un instant. Elle n'avait aucune envie d'être l'objet des regards de toutes les femmes de joueurs, mais, visiblement, Neil accordait de l'importance à ce qu'elle accepte. Il voulait sentir qu'elle ne tenait pas à cacher leur relation. Elle serait vraiment bête de refuser.

— Entendu, j'utiliserai votre ticket.

Il sourit, heureux.

— Parfait. Et viendrez-vous à la soirée ?

— Quelle soirée ?

— Vous savez bien, la soirée qui a lieu tous les ans pour marquer le début de la saison.

— Ah, oui !

Elle avait complètement oublié cette soirée qui était donnée par les frères Ingram à l'intention de toute l'équipe. C'était la fête de l'année où se retrouvaient aussi bien les entraîneurs, les joueurs, les employés administratifs que les directeurs de l'équipe. La seule occasion où ces petits mondes se mêlaient.

— Cela m'était sorti de l'esprit. Mais je viendrai, bien sûr.

Elle n'aimait pas particulièrement ce genre de festivités. Pourtant, au regard que lui lança Neil, elle comprit qu'il fallait qu'elle vienne pour lui. Il lui sourit et prit ses lèvres pour un long baiser passionné.

Lorsque Stéphanie entra dans le stade couvert, le lendemain, ses mains étaient moites malgré la température idéale que maintenait l'air conditionné. Elle se dirigea vers la section réservée aux femmes des joueurs. Son appréhension croissait à chaque pas. Mais de quoi avait-elle donc peur ? Tout de même pas de retrouver ces femmes qu'elle connaissait depuis des années. Qu'avaient-elles à lui reprocher ? Elle avait bien le droit de voir Neil. Elle comprit qu'en s'asseyant au milieu d'elles, elle affichait publiquement son engagement à son égard. Elle préféra rejeter cette pensée.

Elle hésita un peu avant d'aller s'asseoir. Elle regarda autour d'elle et reconnut de dos Karen Randall, installée juste devant elle. Elle sourit à une femme qu'elle ne connaissait pas et qui la laissa passer pour rejoindre sa place. Elle vit, à sa droite, Ruthie Pendleton. Elle était très grande et mince, et l'on pouvait deviner à sa coiffure et à ses vêtements sophistiqués qu'elle était mannequin. D'une grande intelligence, elle possédait un vif sens de l'humour qui avait toujours ravi Stéphanie.

Ruthie ne s'attendait visiblement pas à la voir là, et lui tendit chaleureusement la main.

— Stéphanie ! Comment allez-vous ?

— Très bien. Et vous ?

— Je me porte à merveille. Figurez-vous que j'abandonne mon métier.

— Ah, oui ? Pourquoi ?

Un grand sourire illumina le visage de Ruthie.

— J'attends un bébé.

— Ruthie ! Mais c'est merveilleux.

Elle n'avait pas oublié une conversation qu'elle avait eue avec elle il y a déjà longtemps. Ruthie lisait un article sur un bébé qui était né prématurément et, d'un air révolté, lui avait montré le journal en lui disant : « Vous avez vu, la mère de cet enfant est une gamine de quinze ans. Elle n'est même pas capable d'élever convenablement son enfant alors que moi je ne peux pas en avoir ! » Stéphanie avait essayé de la rassurer en lui disant qu'à son âge rien n'était perdu. Mais Ruthie, déprimée à la suite d'une fausse couche, ne se laissait pas facilement consoler.

— Vous êtes radieuse, lui dit Stéphanie.

— Merci. Et si vous saviez comme je me sens bien. Au début de ma grossesse, j'ai été bien malade, mais j'entame mon quatrième mois et je ne risque plus de perdre le bébé.

— Stéphanie !

Quelqu'un l'appelait. Elle se retourna et vit Julie qui lui faisait de grands signes. Elle lui sourit. A la mi-temps, elles se retrouvèrent ; l'accueil exubérant de Julie fit se retourner plusieurs personnes sur elles. Ruthie la présenta à l'épouse d'un nouveau joueur. Elle venait de la même région de Californie que Stéphanie et elles purent en discuter à loisir.

Bientôt, la partie reprit. Stéphanie dut admettre, qu'à sa grande surprise, tout s'était passé sans anicroches. Elle s'était fait du souci pour rien. Personne ne lui avait posé de questions sur Neil ni parlé de Tim. Elle avait même été surprise de l'accueil chaleureux qu'elle avait reçu. Si elle s'était toujours sentie un peu exclue, elle se rendait compte que c'était une impression fausse. Elle était, bien sûr, très différente des autres femmes, mais elle avait cru sentir que certaines lui portaient de l'admiration. Etait-ce parce qu'elle s'était fait un nom par elle-même, sans que la renommée de son mari y soit pour quoi que ce soit ?

Beaucoup plus détendue, elle se prépara à assister à la seconde mi-temps. A chaque fois que Neil passait le ballon et que la défense l'attaquait, un frisson la parcourait mais son intérêt pour le jeu l'emporta finalement sur sa peur. Elle se joignit à l'allégresse générale quand les Arizona Apaches gagnèrent le match. Elle se préparait à partir lorsque Ruthie lui demanda :

— Venez-vous à la réception, tout à l'heure ?

— Oui, et vous ?

— Evidemment. C'est la seule occasion de l'année où Joe se met en smoking, ce qui me permet de porter une robe du soir.

Elle éclata de rire.

— Je ne vais tout de même pas manquer ça !

Stéphanie quitta le stade avec Julie. Elle n'attendit pas Neil car il fallait qu'elle prenne un bain et se prépare pour la soirée. Neil arriva à six heures et demie. Son visage était resplendissant de joie. Il la souleva dans ses bras puissants et, en la serrant très fort contre lui, la fit virevolter. Elle protesta ; il la reposa par terre, déposa un baiser sonore sur sa joue. Elle rit devant tant d'exubérance. Elle sentait la chaleur de sa peau contre la sienne tandis que ses cheveux encore humides lui effleuraient le front.

— Vous êtes adorable à croquer, lui dit-elle.

Il souleva les sourcils d'un air complice et elle lui donna une petite tape sur le bras.

— Allons, un peu de sérieux ! Je dois m'habiller pour une soirée très importante.

— Je suis persuadé qu'ils préféreraient vous voir dans cette tenue.

Elle portait pour tout vêtement ses dessous de dentelle. Faussement outragée, Stéphanie se détourna de lui. Vite, elle sortit une robe de son armoire et l'enfila.

— Je vais préparer un dîner léger, dit-elle.

— Je ne peux pas m'attarder. Il faut que je passe chez moi me préparer. Et puis je suis certain qu'il y aura à la réception un buffet conséquent.

— Bon, très bien. Mais je pensais que vous seriez affamé.

— Je le suis. Je me ferai un rapide sandwich chez moi, si j'en ai le temps.

Il l'embrassa langoureusement.

— Vous êtes très belle.

Stéphanie sentit son souffle s'accélérer. Les accents vibrants de sa voix et la caresse sensuelle de ses doigts sur son menton trouvèrent en elle un profond écho.

— Neil...

— Et si je renonçais à mon bain ?

Stéphanie lui plaqua les mains sur la poitrine et le repoussa légèrement.

— Non. Vous seriez tout courbatu dans deux heures et vous ne pourriez pas me faire danser. Et ce soir, je veux danser !

— Très bien. Très bien.

Il affecta un air maussade.

Elle l'accompagna à la porte où le doux baiser qu'ils échangèrent la remplit de joie. Rêveuse, elle alla dans la cuisine et dîna légèrement, puis se prépara pour la réception. Elle choisit une robe longue ivoire qui contrastait merveilleusement avec sa chevelure. A l'arrière, elle était fendue jusqu'aux genoux. Un bouquet de fines perles blanches fermait son décolleté profond. C'était une robe d'une grande élégance dont la sobriété se voyait rehausser par le diadème qui ornait ses cheveux.

Il fallait qu'elle trouve un collier assorti et elle était en train de fureter dans sa boîte à bijoux quand elle entendit Neil revenir. Stéphanie se tourna vers lui.

— Que pensez-vous de ce collier avec cette robe ?

Ebloui par la beauté radieuse qui émanait d'elle, il la dévora du regard.

— Magnifique. Je ne parle pas du collier mais de vous.

Il lui tendit un long écrin plat.

— Mais je pense que ceci ira bien mieux avec. Vous avez choisi la robe idéale.

Stéphanie lui prit l'écrin des mains avec curiosité et l'ouvrit. Elle découvrit, sur fond de velours noir, les bijoux en cristal de roche rose qu'elle avait admirés à Sedona.

— Neil, comme c'est beau !

Elle posa l'écrin sur sa commode et en sortit avec délicatesse le collier qu'elle passa autour de son cou. Les coquillages de cristal vinrent se nicher au creux de sa gorge. Elle fixa le bracelet à son poignet et attacha les boucles transparentes à ses oreilles. Elle se regarda dans le miroir. Les bijoux s'harmonisaient parfaitement à sa tenue.

Elle effleura les pierres cristallines.

— Neil, ces bijoux sont splendides. Quand avez-vous... enfin, on est toujours censé dire : « Vous n'auriez pas dû » mais, en fait, je suis simplement ravie de ce cadeau.

Le regard embué d'émotion, elle se tourna vers lui.

— J'en prendrai le plus grand soin.

— Tout ce que je désire, c'est que vous preniez soin de moi.

Il lui tendit les bras et elle s'y réfugia. Ils s'accrochèrent l'un à l'autre comme deux naufragés au milieu d'une tempête. Leur trouble était si fort qu'ils se mirent tous deux à frissonner. Pourtant, ils ne pouvaient s'attarder plus longtemps...

La soirée avait lieu, comme d'habitude, dans un des salons de l'hôtel Biltmore. Très grande, la salle comportait un bar à chaque angle, une petite scène pour un orchestre, une piste de danse et des tables rondes chargées de victuailles. Les frères Ingram accueillaient à l'entrée les footballeurs et leurs femmes. Gene Cheyne et son épouse faisaient les présentations. Toutefois, les propriétaires se souvenaient très bien du nom du quart arrière de l'équipe. Le cœur de Stéphanie se gonfla de joie pour Neil. Et elle n'aurait pas été plus fière si les Ingram s'étaient souvenus des titres de ses livres.

Ils firent le tour du salon en saluant leurs connaissances. Stéphanie était particulièrement émue. Neil lui avait passé le bras autour de la taille et une note de fierté perçait dans sa voix quand il la présentait. Ils s'assirent à la même table que Bobby O que les joueurs avaient surnommé ainsi parce qu'ils n'arrivaient pas à prononcer son nom grec dont l'initiale était un O. Peter Cherneski, l'un des arrières, se joignit à eux quelques instants plus tard. Il entreprit de leur montrer un tour de magie, s'y reprit plusieurs fois mais échoua lamentablement. Peter avait un sens de l'humour très particulier et Stéphanie ne savait jamais comment réagir à ses blagues. Neil lui dit à voix basse qu'elle ne devait pas s'inquiéter : Peter, comme tous les arrières, était un peu fou. Mais c'était un parfait boute-en-train et Stéphanie dut admettre qu'on ne s'ennuyait pas en sa compagnie.

L'orchestre commença à jouer à vingt et une heures ; Stéphanie fit tout pour qu'ils ne quittent plus la piste de danse jusqu'à la fin de la soirée. Ce n'était pas pour déplaire à Neil bien que, pour la forme, il ait émis quelques protestations. Il prétendait ne pas savoir bien danser alors qu'il s'avérait être un parfait cavalier. Neil tenait la jeune femme étroitement enlacée. La tête posée contre sa puissante poitrine, elle s'enivrait de son parfum musqué et se laissait bercer par la musique. De danse en danse, Neil resserrait son étreinte et, mus par un même élan, leurs corps ne faisaient plus qu'un.

Quand Peter Cherneski invita Stéphanie à danser, Neil les regarda évoluer sur la piste. Un léger sourire flotta sur ses lèvres. Cherneski dansait comme un balourd mais Stéphanie, gracieuse comme un papillon, semblait à peine effleurer la piste. Neil se délecta du spectacle de son cou fragile, de ses cheveux fauves qui accrochaient la lumière, des lignes voluptueuses de son corps. Dieu, qu'elle était belle !

Neil n'avait jamais été aussi heureux de sa vie. Son espoir le plus cher s'était enfin réalisé : Stéphanie était sienne, plus douce, plus passionnée que dans ses rêves les plus fous. Chaque jour, elle se dévoilait un peu plus à lui et la découverte de ses désirs, de ses craintes et de ses espoirs secrets exaltait son amour.

Une seule ombre subsistait à ce tableau idyllique : Stéphanie ne l'aimait pas. Elle aimait être avec lui, faire l'amour avec lui mais elle n'était pas amoureuse. Elle ne partageait pas les tourments de la passion qui le dévorait. Neil se mordit la lèvre, pensif. Il avait l'âme d'un vainqueur et il allait toujours au bout de ce qu'il entreprenait. Il fallait qu'il gagne l'amour de Stéphanie. C'était ce qui comptait le plus au monde pour lui ; toutes ses autres victoires n'étaient qu'illusoires.

Le morceau toucha à sa fin et les danseurs se séparèrent. Elle revint vers lui en hâtant le pas ; une douce lueur brillait dans son regard. Le cœur battant, il alla à sa rencontre. Un jour, elle l'aimerait. Il saurait la persuader, même si l'entreprise requérait toute son énergie.

Ils quittèrent la soirée bien avant la fin, brûlés par le désir de se retrouver seuls. Dans la voiture, Stéphanie se lova contre lui, une main posée sur sa cuisse ferme. Une douce onde de chaleur l'envahit.

— Je suis très heureuse ce soir. Et vous ?

— Je crois que je n'en pense pas moins, répondit-il en riant.

— Comme j'aimerais que tout le monde connaisse un bonheur égal au mien. Prenez Claire, par exemple. Elle n'a jamais réussi à faire une rencontre intéressante.

Elle fronça les sourcils et s'écria, soudain :

— Et si j'essayais de lui présenter quelqu'un ?

Neil protesta.

— Oh, non ! Vous n'allez tout de même pas jouer les entremetteuses.

Stéphanie haussa les épaules.

— Ce n'est pas dans mes habitudes, mais Claire joue vraiment de malchance.

— C'est peut-être de sa faute.

Stéphanie fit semblant de ne pas l'avoir entendu.

— Je crois même que j'ai trouvé ce soir un parti pour elle : Ray Cooper.

— L'entraîneur de la ligne défensive ?

— Pourquoi pas ? Il a la quarantaine, c'est tout à fait ce qu'il faut. Il est plutôt beau, tranquille et absolument charmant. Et, en plus, il est veuf. Vous ne l'aimez pas ?

— Si, bien sûr, c'est un chic type. Mais je n'ai pas

l'impression que les hommes tranquilles et absolument charmants soient vraiment du goût de Claire.

— C'est tout simplement qu'elle n'en a jamais rencontré. Je suis certaine que Ray lui plairait.

— Vous ne pensez pas, j'espère, que je vais lui demander de la rencontrer.

— Non, ce ne serait pas une bonne idée, répliqua Stéphanie, imperturbable. Il faudrait que cela ait l'air d'un simple hasard.

Neil soupira.

— Je pourrais inviter Claire à dîner sans lui parler de Ray. Et vous arriveriez avec lui. Comment faire ? Vous lui demanderiez de vous raccompagner. Je n'aurais qu'à vous déposer à l'entraînement le matin.

— Stéphanie !

— Ce n'est pas possible ?

— Si. Ray n'habite pas très loin de chez vous, cela paraîtrait normal. Mais, ma chérie, êtes-vous certaine d'avoir envie de vous lancer dans une pareille machination ?

Stéphanie lui sourit.

— Oui. Je ne sais pas pourquoi, et pourtant je veux le faire. C'est la première fois que j'arrange une rencontre mais je me sens si bien que j'ai envie que quelqu'un d'autre partage ce bonheur. Pourquoi vivre en égoïste quand on peut aider les gens ? Me comprenez-vous ?

— Oui, je comprends. Et, au fond, j'aime votre idée.

En y repensant plus tard, Stéphanie se rendit compte qu'elle aurait dû pressentir que son projet se solderait par un échec. Mais, aveuglée par sa propre joie, elle avait cru que les choses se passeraient comme elle l'avait prévu. Elle invita Claire pour le mercredi soir et celle-ci accepta avec enthousiasme, ravie de pouvoir mieux faire la connaissance de Neil. Comme prévu, Stéphanie accompagna Neil à l'entraînement le matin. Elle arrêta de travailler deux heures plus tôt que d'habitude afin de ranger la maison et de préparer un repas qui ne devait pas sembler trop étudié. Elle était simplement supposée recevoir une amie à dîner. Stéphanie ne se changea pas mais retint ses cheveux en arrière par une natte. Quand on sonna à la porte, elle ouvrit, toute joyeuse, et éprouva le premier choc de sa soirée.

Elle n'avait rien dit à Claire pour que tout semble naturel, mais elle n'aurait jamais pensé que Claire, habituellement si coquette, soignerait si peu sa tenue pour venir la voir. Elle ne s'était ni coiffée ni maquillée et portait un jean délavé, un tee-shirt et des tennis.

La surprise empêcha Stéphanie de parler tandis que Claire entrait dans la maison et allait s'affaler sur le canapé.

— J'ai une terrible migraine, dit-elle en se massant les tempes. A vrai dire, j'ai failli me décommander, mais ma curiosité l'a emporté sur mon mal de tête. Je me suis dit qu'après tout, personne ne m'en voudrait de venir dans cette tenue. J'ai pris quatre comprimés d'aspirine cet après-midi, mais j'ai toujours aussi mal. Vous croyez que c'est une migraine ?

— Je n'en sais rien, je n'en ai jamais eu. Vous voulez boire quelque chose, à moins que vous n'ayez peur que cela n'aggrave votre mal de tête ?

— Oui, je veux bien. Qui sait ? Cela arrêtera peut-être la douleur !

Stéphanie prépara deux gin-fizz et vint s'asseoir en face de son invitée. Claire avala une gorgée d'alcool et poussa un profond soupir.

— Ce n'est peut-être pas le remède idéal, mais en

attendant, c'est délicieux. Ah! Si vous saviez tous les ennuis que j'ai eus aujourd'hui!

Elle se lança dans le récit de ses déboires. Saisissant une cigarette, elle remarqua :

— Je commence à me sentir mieux. Peut-être qu'un autre verre me ferait du bien.

Soudain, Stéphanie bondit sur ses pieds.

— Oh! Mon Dieu! J'ai complètement oublié le gratin.

Elle se précipita dans la cuisine et se brûla en ouvrant le four. Ce n'était pas trop grave, seuls les bords étaient noirs. Avec les légumes et la salade, cela resterait présentable. Elle allait sortir les légumes du réfrigérateur quand elle entendit des portières de voiture claquer. C'était Neil. Elle alla l'accueillir et le trouva en compagnie de Ray Cooper et de... Peter Cherneski!

— Bonsoir, Stéphanie, lui dit Neil d'un ton guindé. J'ai invité Ray et Peter à prendre un verre. Ray m'a raccompagné.

— C'est très gentil à vous, Ray. Mais venez donc vous asseoir.

Elle les précéda dans le salon et les présenta à Claire.

— Claire, voici Ray Cooper, un des entraîneurs de l'équipe, et Peter Cherneski qui est arrière.

— Bonsoir, ravie de vous connaître.

— Claire est une amie; elle dirige un théâtre amateur, leur dit-elle.

— Ah, oui? répondit Peter en s'asseyant à côté de Claire.

Stéphanie en fut irritée car Ray se retrouva assis sur une chaise, à l'écart de la conversation. Peter n'était pas désagréable; il avait même un certain charme, un peu brut, seulement, voilà! il dérangeait les plans de Stéphanie.

— Que puis-je vous offrir à boire ? demanda-t-elle à Ray.

— Un scotch léger avec de l'eau, s'il vous plaît.

— Pour moi, ce sera un bourbon plutôt tassé, ajouta Peter, sans attendre qu'elle lui pose la question.

— Vous venez m'aider, Neil ?

Dès qu'ils furent dans la cuisine, elle lui demanda avec colère :

— Mais que se passe-t-il ?

— Je n'y suis pour rien. Quand j'ai demandé à Ray de me déposer, Peter m'a entendu et il lui a demandé s'il pouvait se joindre à nous. Je n'allais tout de même pas lui dire non parce vous attiriez Ray dans un piège.

— Bien. Je vais les inviter à dîner et j'espère que Peter nous laissera placer un mot.

Neil servit à Peter une double dose et ils revinrent au salon. Peter expliquait à Claire, qui le regardait avec de grands yeux, que le tabac était extrêmement nocif, tout en éteignant la cigarette qu'elle était en train de fumer. L'arrivée des apéritifs le fit heureusement changer de sujet de conversation.

Stéphanie afficha son plus beau sourire et leur demanda s'ils voulaient rester dîner.

— Mais avec plaisir, répliqua Peter.

Stéphanie sentit son sang se glacer quand elle vit Ray secouer la tête.

— Je suis désolé, mais je dois rentrer travailler.

Stéphanie résolut d'en prendre son parti mais les choses ne firent qu'empirer au fil de la soirée. Quand Ray s'en alla, un quart d'heure plus tard, Stéphanie proposa aux autres de passer à table. C'est à ce moment-là qu'elle se rendit compte qu'elle avait oublié de faire cuire les légumes. Lorsque finalement elle les servit, le gratin était déjà froid.

Quant à la conversation, elle suivit un cours aussi étrange que le repas. Claire fit une nouvelle description des ennuis qui avaient marqué sa journée et Peter lui expliqua comment réparer son système de broyage automatique d'ordures. L'un comme l'autre buvait verre sur verre, si bien qu'au moment du dessert Claire, pourtant fort gaie, commença à parler de sa migraine.

— Savez-vous que toutes vos terminaisons nerveuses aboutissent dans vos pieds ! s'écria Peter. Claire eut un petit rire crispé et Stéphanie éclata franchement de rire. Neil n'eut aucune réaction mais se resservit un peu de mousse au chocolat à l'orange : il avait visiblement déjà entendu cette histoire.

— C'est la vérité, protesta Peter en se levant de sa chaise.

Stéphanie crut défaillir quand elle vit que, penché sur Claire, il lui retirait ses tennis.

— Chaque partie du corps est représentée sous les pieds. Un simple massage suffit à supprimer la migraine, le mal au dos ou toute autre douleur. Il ôta les chaussettes de Claire et commença à lui masser les pieds avec ses pouces. Claire fit un bond sur sa chaise en poussant un cri. Peter continua son massage et elle partit d'un grand fou rire.

Stéphanie, confuse, prit son visage entre ses mains. Neil regardait Peter mais restait totalement impassible. Claire annonça soudain qu'elle se sentait beaucoup mieux. Elle était maintenant en pleine forme et ne manifestait aucune intention de partir, pas plus que Peter d'ailleurs. Quand, une heure plus tard, elle se leva pour s'en aller, Peter en fit de même et lui demanda :

— Pourriez-vous me raccompagner, cela éviterait à Neil de ressortir ?

— Mais, bien sûr.

Neil et Stéphanie les accompagnèrent à la porte et les regardèrent partir dans la BMW de Claire. Revenue dans le salon, Stéphanie poussa un cri de dépit.

— Ce Peter Cherneski, je l'aurais étranglé avec joie ! Pourquoi a-t-il fallu qu'il vienne ce soir ? Il a tout gâché. Quand je pense qu'il a osé lui masser les pieds en plein repas ! Je ne parle pas de son discours moralisateur sur le tabac et de ses explications sur les systèmes de broyage d'ordures, à table ! Et il a eu l'audace de lui demander de le raccompagner chez lui !

Un sourire flottait sur les lèvres de Neil.

— Allons, Stéphanie. Il n'y a pas de quoi vous énerver. Cela ne s'est pas trop mal passé ; j'ai même trouvé cela plutôt drôle.

— Drôle ! C'est tout ce que vous trouvez à dire. Claire ne voudra plus jamais m'adresser la parole et vous trouvez ça drôle. Et puis, arrêtez de rire, cela suffit.

Furieuse, elle lui lança un coussin à la tête. Le rire de Neil redoubla ! Elle le regarda et, malgré elle, sourit. Puis son sourire se transformant en rire franc, elle vint s'asseoir à côté de Neil. Ils rirent à gorge déployée en se rappelant les événements comiques qui avaient ponctué la soirée. Quand ils s'apaisèrent, Neil l'enlaça tendrement.

— Je crois que je ne suis pas faite pour être entremetteuse, lui dit-elle.

— C'est bien mon avis.

Stéphanie se blottit amoureusement contre lui. Elle ne s'était jamais sentie aussi heureuse de sa vie. Elle comprit tout à coup que ce qui venait de se passer n'avait aucune espèce d'importance. La seule chose qui comptait vraiment, c'était que Neil soit là, à ses côtés. Elle l'embrassa dans le cou et lui murmura :

— Je vous aime.

Chapitre 12

Les semaines suivantes, ils vécurent dans un bonheur sans nuage. Ils ne se quittaient plus et passaient de longues heures à parler d'eux, de ce qu'ils aimaient. Il lui exposa le projet qu'il avait avec Asa Jackson de créer une colonie de vacances pour les enfants de milieux défavorisés et l'emmena voir le site qu'ils pensaient aménager à cet effet. Des soirées entières ils parlaient de tout et de rien, sans jamais se lasser de leurs confidences.

Le travail de Stéphanie allait bon train. Ses recherches avançaient. Elle avait obtenu le compte rendu du procès et le dossier qu'avait constitué l'avocat de Rodriguez pour le recours en appel. Elle passa au peigne fin les dépositions, les rapports de police et les notes de l'avocat. La trame du livre se tissa d'elle-même au fil de son enquête. Pleine d'énergie, elle avait une créativité débordante. Neil s'intéressait à son travail et lui faisait des suggestions qui la surprenaient par leur clairvoyance. Il s'était même proposé pour essayer d'obtenir une interview des Willoughby.

Stéphanie l'avait regardé avec étonnement.

— Pardon ? Qu'avez-vous dit ? Vous ne savez donc pas que les Willoughby n'accordent jamais d'interviews ?

— Je n'en suis pas si sûr. Je sais que Bernard Willoughby est un fervent supporter de notre équipe, et Russell Ingram le connaît personnellement. Je pourrais me débrouiller pour lui être présenté, faire plus ample connaissance et lui demander incidemment s'il accepterait de vous rencontrer.

— Ce serait merveilleux !

Elle se précipita dans ses bras et l'embrassa. Leur conversation s'acheva dans une étreinte passionnée qui les amena dans la chambre de Stéphanie. Ils partageaient des moments de communion parfaite, où, dans un don total d'eux-mêmes, ils connaissaient un bonheur sans nuage.

Pourtant, il y avait une ombre à la félicité de Stéphanie : la profession de Neil. Il adorait le football et elle savait qu'il jouerait aussi longtemps qu'il le pourrait alors qu'elle commençait à prendre ce jeu en horreur. A chaque match, elle était hantée par la peur qu'il lui arrive un accident. Déjà, du vivant de Tim, elle avait souvent eu peur pour lui mais cela prenait maintenant la forme d'une véritable obsession. Elle redoutait d'assister aux rencontres. Une boule se formait dans sa poitrine plusieurs heures avant les matchs et, plus le temps passait, moins elle supportait la perspective de voir Neil jouer.

La moitié de la saison s'était déjà écoulée lorsque Neil fut blessé. Ce jour-là, Stéphanie était arrivée au stade tenaillée par l'angoisse. Elle avait rejoint les femmes des joueurs, étonnée qu'elles soient si sereines et enjouées. Julie lui adressait de grands signes en discutant gaiement avec Sharon Perkins, elle aussi tout à fait décontractée. Elle avait pourtant de quoi s'inquiéter : son mari s'était déjà démis l'épaule à deux reprises, et les médecins l'avaient prévenu que si cela se reproduisait, il devrait abandonner le football ou s'attendre à un handicap irréversible. Comment faisait-elle pour vivre avec cette perpétuelle anxiété ? Arrivait-elle à la chasser de son esprit ?

Les joueurs entrèrent sur le terrain. Stéphanie regarda Neil à la jumelle. Il faisait des mouvements d'échauffement. Elle observa son visage sérieux et déterminé. Elle savait qu'il était en train de faire le vide en lui pour atteindre un état proche de celui de la méditation ou de l'hypnose qui lui permettrait de libérer toute son énergie contre l'adversaire.

Elle pensa que c'était elle qui prenait en charge toutes les tensions, tant elle se sentait une frénétique envie de s'agiter, de fumer, de claquer des doigts, enfin, de faire n'importe quoi plutôt que de rester passivement, là, à attendre. Elle ne s'y ferait jamais, elle en était certaine. L'attente du coup d'envoi était la plus pénible, car, une fois le match commencé, Stéphanie était prise par le jeu et parvenait à mieux oublier sa peur. Elle posa les jumelles sur ses genoux, ferma les yeux et respira profondément.

Elle patienta jusqu'à la fin de l'échauffement et, avant que le match débute, Julie vint bavarder avec elle. C'était un match très important : les Arizona Apaches allaient jouer contre leurs principaux rivaux. L'équipe était sortie victorieuse du dernier match, ce qui promettait une rude partie contre des adversaires fermement décidés à prendre leur revanche. Ils étaient connus pour leur jeu féroce et ne ménageaient pas le quart arrière.

Dès le début du match, ils ne tardèrent pas à se montrer à la hauteur de leur réputation. Pendant la première mi-temps, Neil fut plaqué deux fois au sol mais il se releva à chaque fois, sans peine. Ce qui ne fut pas le cas à la fin du troisième quart-temps. Au moment où il lançait le ballon, il tomba violemment en arrière et sa tête heurta lourdement le sol.

Stéphanie poussa un cri perçant. Asa parvint à

réceptionner le ballon, la foule enthousiaste hurla mais Stéphanie ne pouvait détacher son regard de la silhouette de Neil. Un arrière lui tendit la main pour l'aider à se relever mais il ne bougea pas, lui qui se relevait toujours très vite ! Quand Tony Nowak, l'arrière, se pencha au-dessus de lui, Stéphanie comprit que Neil était inconscient. Elle bondit hors de son siège, pâle comme un linge.

Sur le terrain, les joueurs des Arizona Apaches formèrent un petit attroupement autour de Neil. Ils furent rapidement rejoints par le médecin de l'équipe qui appela ses assistants. Ils mirent Neil sur un brancard.

Stéphanie, folle d'inquiétude, se précipita vers les vestiaires, déboucha en courant d'un escalier et découvrit une ambulance qui attendait. Son sang se figea ; elle prit appui sur un pilier pour ne pas défaillir. Elle avait peine à retrouver son souffle et essaya de se raisonner. La présence d'une ambulance ne signifiait pas que Neil était mort. Peut-être n'allait-on même pas le transporter à l'hôpital ; ce n'était là qu'une simple mesure de précaution.

Elle s'approchait du véhicule quand elle vit deux hommes portant un brancard. Neil y était étendu, les yeux clos et le teint cireux. Hal Minter, l'un des entraîneurs, arriva alors. Stéphanie se mordit la lèvre et l'interpella.

— Hal ?

Il la vit soudain.

— Madame Tyler ! Surtout ne vous inquiétez pas, tout va très bien.

— Où l'emmenez-vous ?

— A l'hôpital Saint-Antoine.

Il vit Stéphanie pâlir et s'empressa de la rassurer.

— Ne vous faites pas de soucis, c'est là que nous transférons automatiquement tous les joueurs. C'est un bon hôpital.

Les deux ambulanciers installèrent Neil sur le lit à l'arrière de la voiture. Minter se tourna vers elle.

— Il faut que ce soit moi qui monte avec lui. C'est le règlement. Pouvez-vous nous suivre en voiture ?

Stéphanie acquiesça d'un signe de tête. Le règlement ! Le règlement lui interdisait de monter dans l'ambulance avec Neil ! Elle s'avisa, au demeurant, qu'elle ne tenait pas à l'accompagner dans l'ambulance. Elle ne pourrait pas supporter de le regarder, impuissante, pendant tout le trajet. Il avait l'air d'être comme... mort. Elle aspirait de toute son âme à être avec lui mais elle redoutait le pire.

Elle fit volte-face et marcha aussi vite qu'elle le pouvait vers sa voiture mais elle sentait ses jambes lui manquer. Elle tenta de retrouver son sang-froid. Ce n'était vraiment pas le moment qu'elle ait un accident à son tour. La peur lui déchirait la poitrine. Neil, oh, Neil !

Elle ouvrit sa portière avec précipitation, démarra en trombe, roula à toute vitesse dans le parking désert et prit la voie express nord. Agrippée au volant, elle conduisait mécaniquement, guidée uniquement par son instinct. Il lui fallut dix minutes pour rejoindre l'hôpital. A l'entrée des urgences, sans tenir compte de l'interdiction de stationnement, elle laissa sa voiture devant la porte. D'un pas déterminé, elle traversa une grande salle d'attente peu accueillante où se trouvait un bureau d'infirmières, longea un couloir et trouva Neil dans la troisième salle de consultation. Il était assis, les jambes pendantes, sur la table d'examen. On lui avait retiré son maillot et ses protège-épaules. Deux médecins, une infirmière et Hal Minter l'entouraient. Neil s'appuyait de tout son poids sur Hal mais il avait les yeux ouverts. Il était conscient.

Il remarqua sa présence dès qu'elle entra dans la

pièce. Il lui adressa un triste sourire ; son regard, habituellement si vif, ne brillait d'aucun éclat.

— Bonjour, Stéphanie, comment allez-vous ? Mais que faites-vous ici ? Où est Tim ?

Stupéfaite, elle répéta :

— Tim ?

Sans rien remarquer de sa surprise, il poursuivit :

— Jolie passe, non ?

L'un des médecins fit un signe à l'infirmière qui s'approcha de Stéphanie et la prit par le bras.

— Il faut que vous sortiez, madame. Nous sommes en train d'examiner Mr Moran.

Stéphanie se laissa entraîner hors de la salle.

— Que lui arrive-t-il ? demanda-t-elle à l'infirmière. Il parle de Tim comme s'il était vivant.

— Mr Moran est encore sous l'effet du choc. Il est très courant chez les patients commotionnés qu'ils perdent la notion du temps.

L'infirmière la fit asseoir et lui dit d'un ton calme :

— Attendez ici. Le médecin viendra vous voir dès qu'il aura fini de l'examiner. Etes-vous sa femme ?

— Non, il n'est pas marié. Je suis sa... nous sommes des amis proches, nous nous connaissons depuis des années.

L'infirmière eut un sourire entendu et retourna dans la salle de consultation dont elle referma fermement la porte. Le regard de Stéphanie se perdit dans le vague. Tim ! Pourquoi Neil avait-il fait allusion à lui comme s'il était vivant, comme s'il venait de lui passer le ballon ? Stéphanie sentait tout son corps trembler.

Elle leva la tête en entendant approcher Hal. Elle allait venir à lui quand il lui fit signe de rester assise.

Il s'assit en face d'elle et lui dit d'un air absorbé :

— Ne faites pas attention à ce que Neil vient de dire. J'ai vu cela chez de nombreux joueurs. Après un choc, ils croient être ailleurs, à un autre moment. Neil pense qu'il est trois ans en arrière, dans le Minnesota, après un match où il avait fait une magnifique passe à Tim. Là aussi, il avait été commotionné. Ne vous inquiétez pas, il ne devient pas fou. Dans peu de temps, tout redeviendra normal. Neil est le quart arrière le plus solide que je connaisse.

Ces paroles la rassurèrent un peu, mais ne chassèrent pas complètement sa peur. La situation de Neil l'avait profondément ébranlée car elle lui avait rappelé Tim avant sa mort. Il lui arrivait alors de prendre Neil pour son père ou Stéphanie pour une infirmière. Elle n'oublierait jamais le regard vide qu'il posait sur elle sans la reconnaître. Elle avait beau savoir que Neil avait simplement reçu un choc, elle ne pouvait empêcher sa poitrine de se serrer d'angoisse.

Qu'arriverait-il si Neil mourait ? Si elle le perdait ? Comment pourrait-elle vivre sans lui ? Elle se rendit tout à coup compte qu'elle ne pourrait jamais surmonter une telle épreuve. L'amour qu'elle éprouvait pour Neil était totalement différent de ce qu'elle avait ressenti pour Tim. Tim était un personnage très étrange, très indépendant. Par une intuition qu'elle n'avait jamais su s'expliquer, elle avait toujours eu le sentiment qu'il n'était que de passage dans sa vie. Mais Neil ! Il partageait complètement son existence et ils ne formaient plus qu'un seul être. Comment dénouer les liens indissolubles qu'ils avaient tissés entre eux ? Si Neil était blessé, elle le serait aussi. Et si elle le perdait, elle perdrait une part d'elle-même.

Le cœur battant, Stéphanie se leva et commença à marcher de long en large. Mais quand elle vit le médecin en blouse blanche sortir de la salle de consultation, elle se rassit précipitamment pour l'écouter parler à Hal.

— C'est une simple commotion. Il souffre des symptômes habituels : vertiges, confusion des pensées, mais j'aimerais le garder en observation quelques jours. En cas de complications, il vaut mieux qu'il soit ici. C'est une simple mesure de précaution, vous savez. Tels que je connais les footballeurs, il voudra jouer dimanche prochain.

Le médecin répondit aux questions d'Hal et il allait partir quand Stéphanie le retint.

— Docteur, puis-je le voir maintenant ?

— Pardon ? Oh, mais oui, bien sûr. Il va être transporté au quatrième étage, demandez donc le numéro de sa chambre aux infirmières.

Quelques minutes plus tard, elle entra sur la pointe des pieds dans sa chambre. Il était allongé sur le lit, les yeux clos. Son visage était toujours très pâle mais, quand il ouvrit les yeux, son regard avait retrouvé sa vivacité habituelle. Il lui adressa un faible sourire.

— Stéphanie ! Une chance que ce soit ma tête qui ait cogné le sol ! Sinon, j'aurais pu me faire mal.

Stéphanie soupira et lui prit la main.

— Vous n'avez pas besoin de jouer les héros avec moi.

— C'est vrai ? Parfait. Alors je peux vous avouer que ma tête me fait horriblement mal.

Il se tut un instant.

— Quand je me suis réveillé, je ne savais plus où j'étais. Je me suis cru au match dans le Minnesota où Tim avait superbement reçu ma passe. Vous savez, quand j'ai été commotionné pour la première fois.

— Oui, je sais.

— Je suis désolé de m'être comporté si bizarrement. Mais pendant quelques minutes, j'ai vraiment eu l'impression que Tim était vivant. J'espère que cela ne vous a pas trop impressionnée.

Stéphanie se força à lui sourire.

— Mais non, dit-elle en un parfait mensonge. Je me suis simplement dit : « Voilà bien Neil ! Il ne comprend jamais rien à ce qui se passe ! »

— Ne me faites pas rire. Cela me fait très mal à la tête.

— C'est vrai. Je vais vous laisser et vous pourrez dormir.

— C'est tout à fait déconseillé ! Quand quelqu'un a une commotion, il faut l'empêcher de dormir.

— Dans ce cas, je n'ai plus qu'à m'asseoir.

— Alors, qui a gagné ?

— Ah non ! dit-elle, exaspérée. Vous avez raison, vous avez la tête dure. Comment voulez-vous que je m'intéresse au score après ce qui vous est arrivé ?

— On aurait pu vous le donner à l'hôpital.

— J'étais trop bouleversée pour m'en préoccuper.

— C'est un peu curieux à dire, mais je suis content que vous vous inquiétiez pour moi.

Il lui sourit et, refoulant ses larmes, elle lui adressa à son tour un sourire timide.

Elle avait du mal à paraître calme, tant elle était encore sous le coup de l'émotion. Malgré tout, elle lui tint compagnie pendant une heure, jusqu'à ce qu'un des joueurs de l'équipe arrive. Elle en profita alors pour s'éclipser.

Elle se sentait excessivement lasse, comme si elle avait travaillé plusieurs jours d'affilée sans dormir. Elle marcha lentement jusqu'à l'ascenseur et, une fois en bas, atteignit sa voiture avec peine. Elle mit le contact, laissa tourner le moteur au ralenti, posa son front sur le volant. Brusquement, elle ne se sentait plus la force de conduire jusqu'à chez elle. Quand elle se décida finalement à rentrer, elle suivit machinalement le chemin du retour.

En arrivant chez elle, elle alla directement dans sa chambre et tomba de fatigue sur le lit. Elle avait pensé qu'elle s'endormirait aussitôt, mais elle était trop agitée pour trouver le sommeil. Son esprit inquiet vagabondait d'idée en idée et, petit à petit, une pensée émergea du flot chaotique de ses émotions. Elle n'y arriverait jamais... Non, elle ne pourrait pas supporter de voir sa vie ponctuée par les matches de Neil.

Soudain, la situation lui apparut très clairement. Neil n'abandonnerait pas sa carrière ; il était trop entêté pour cela. Il était en grande forme physique et, bien qu'il ait déjà trente-deux ans, il pourrait encore jouer trois ou quatre ans. Et il faudrait qu'elle endure tous ces matches, en espérant toujours qu'il ne soit pas blessé. Jusqu'au jour où l'accident surviendrait, et quand elle arriverait à l'hôpital il ne serait plus là pour l'accueillir avec un grand sourire !

Toute la nuit, elle ressassa ces sombres pensées, épouvantée par la seule solution qui se proposait à elle. Rompre avec Neil ! Mais comment envisager de le quitter ? Elle finit par prendre sa décision et éclata en sanglots, donnant libre cours à sa profonde angoisse.

Stéphanie se réveilla tôt le lendemain matin et se rendit dans la salle de bains. L'image que lui renvoya la glace ne fit que confirmer son sentiment de vide intérieur. Les yeux rougis, les paupières gonflées, elle était pâle comme un linge. Elle se doucha, enfila une robe moulante beige et tressa ses cheveux qu'elle retint par un chignon. Après s'être un peu maquillée et avoir bu une tasse de café, elle se sentit un peu rassérénée, mais fut incapable de manger quoi que ce soit avant de partir pour l'hôpital.

Il lui fallut presque une demi-heure pour s'y rendre et lorsqu'elle y arriva un étau douloureux lui enserrait la tête; elle sentit ses résolutions s'évanouir. Elle prit l'ascenseur et rencontra Neil alors qu'il sortait de sa chambre. Il portait des vêtements de sport et seule une légère pâleur sur son visage laissait deviner son accident de la veille.

— Stéphanie ! Un peu plus, vous ne me voyiez pas : je sors.

— Déjà ! Mais vous êtes fou !

— Parlez moins fort, voulez-vous ? Ma tête me fait un mal de chien.

Hal Minter sortit lui aussi de la chambre ; Stéphanie lui lança un regard furieux.

— C'est vous qui le faites sortir ?

Il s'arrêta net, étonné par la violence que trahissait sa voix.

— Pardon ?

Neil vint à sa rescousse.

— Il n'y est pour rien, Stéphanie. Il est arrivé juste au moment où je partais et m'a proposé de me raccompagner, c'est tout. Sinon, j'aurais pris un taxi.

— On voulait vous garder encore un peu au cas où il y aurait de petites complications mais je crains surtout que vous ne perdiez la raison.

— Mais je vais tout à fait bien, Stéphanie.

— Et le médecin est d'accord pour que vous partiez ?

— Il me l'a plutôt déconseillé. Mais il m'a aussi précisé que je n'étais pas obligé de rester.

— Pourquoi ne pas avouer qu'il s'est déclaré vaincu ! Comment pourrait-il vous empêcher de courir à votre perte, si tel est votre désir ?

Stéphanie était folle de rage. Elle reconnaissait bien là la mentalité des footballeurs. Ils riaient de leurs accidents et en tiraient même une certaine fierté. Ils se sentaient supérieurs, méprisaient les maladies ou les blessures dont ils étaient atteints. Neil quittait l'hôpital prématurément et, vraisemblablement, ferait tout pour disputer le prochain match. C'était de la pure folie. Tout cela pour un jeu ridicule, pour gagner, comme si c'était la seule chose importante au monde ! Gagner, voilà ce qui les intéressait. Leurs femmes, leurs enfants importaient peu et n'étaient là que pour occuper leurs loisirs. La seule priorité allait au football, au jeu. Il leur fallait la victoire à tout prix.

Stéphanie n'eut soudain plus l'ombre d'un doute. Elle avait fait le bon choix, l'unique choix possible à une femme ayant un tant soit peu d'amour-propre. Elle poussa un long soupir.

— Très bien. Je renonce à vous convaincre. Vous ferez exactement ce que vous voudrez, à vos risques et périls ! Venez, je vous raccompagne. Hal n'aura pas besoin de se déranger.

Neil se tourna vers Hal en souriant.

— Désolé, on m'a fait une proposition plus intéressante.

— Je vous comprends, répondit Hal en plaisantant. A demain.

Il lui dit à demain, pensa Stéphanie. Elle fulminait à l'idée que Neil songeait déjà à reprendre son entraînement. Et elle, dans tout cela ? Que faisait-il de ses inquiétudes ? Il reprenait l'entraînement en dépit de l'avis du médecin, en dépit de son avis, en dépit de tout.

Stéphanie fit volte-face et se précipita vers les ascenseurs. Derrière elle, Neil prit une expression amusée en regardant Hal hausser les épaules comme pour dire qu'il était inutile d'essayer de comprendre les femmes. Neil sourit intérieurement. Stéphanie avait l'air furieuse contre lui ; cela l'embarrassait bien un peu, mais tant de sollicitude lui faisait chaud au cœur. Oui, il était doux de penser qu'elle voulait le protéger.

Il la rejoignit et passa un bras autour de ses épaules.

— Je vais bien, vous savez. Ce n'est pas la première fois que cela m'arrive et je sais ce que j'ai le droit de faire. Je vous promets de faire attention.

— Il ne sert à rien d'en discuter.

Stéphanie le regarda. Comme elle aimait ce visage penché vers elle. Où puiserait-elle la force de lui annoncer sa décision ? Neil l'enlaça plus étroitement.

— Ne me regardez pas ainsi. Je n'ai rien de grave, je vous l'assure.

Tim lui disait déjà la même chose quand il rentrait des matches, épuisé et couvert d'ecchymoses. Rien ne l'empêchait de jouer et il en serait de même pour Neil. La seule mauvaise blessure serait celle qui lui serait fatale. Stéphanie s'écarta de lui et détourna la tête pour qu'il ne voie pas ses larmes. Elle entra dans l'ascenseur. Neil la suivit, soucieux. Stéphanie avait l'air si bouleversé.

Elle le raccompagna chez lui. Tout au long du trajet, un silence pesant régna entre eux. Stéphanie ne fit rien pour rompre ce silence. Elle n'avait pas le courage de parler de tout et de rien et préférait attendre d'être chez lui pour discuter. Neil, lui, renonça à entretenir tout seul la conversation. Sa tête lui faisait trop mal. Mais il ne put empêcher une barre d'appréhension de se former dans sa poitrine.

Stéphanie s'engagea sur le chemin qui menait à la maison de Neil, prit grand soin d'éviter toutes les ornières et s'arrêta sans à-coup devant la maison. Glacée de peur, elle savait que le moment était venu de lui parler. Elle se tourna vers lui.

— Neil, j'ai réfléchi.

Il sentit soudain son cœur s'emballer.

— A quoi ?

— A nous. Je vous aime mais je crois qu'il vaut mieux que nous arrêtions de nous voir.

— Mais ce que vous dites est complètement contradictoire.

— Cela vous semble peut-être illogique mais c'est pourtant ce que je pense.

— Pourquoi ?

Son visage était tendu et son regard trouble.

— Je n'en peux plus. Je n'en peux plus d'aimer un joueur de football.

— Stéphanie...

Il tenta de l'enlacer mais elle le repoussa sans ménagement.

— Non, Neil, je suis sérieuse. C'est trop lourd pour moi.

— C'est la célébrité qui vous pèse ?

— Non, j'en avais pris l'habitude avec Tim. Je n'aime pas beaucoup ce qu'elle implique, mais j'ai appris à vivre avec. Ce que je ne supporte pas, c'est cette inquiétude perpétuelle qui me mine. J'ai peur quand vous prenez l'avion pour aller jouer à l'extérieur. J'ai peur avant et pendant les matches. J'ai atteint le point où je redoute à chaque fois le pire. Hier, quand vous êtes tombé, j'ai cru que j'allais devenir folle.

Il la regarda, stupéfait.

— Mais ce n'est pas une raison pour...

— Si, c'en est une. Je me refuse à être deux fois veuve, Neil.

— Stéphanie, c'est ridicule.

— Pourquoi, les footballeurs ne meurent pas ?

— Bien sûr que si, mais ce n'est pas le football qui les tue.

— J'ai lu l'autre jour qu'un joueur s'était évanoui pendant l'entraînement en Floride ; le temps qu'il soit transféré à l'hôpital, il était mort. D'une crise cardiaque.

— Cela n'a rien à voir; c'était un gamin. Il ne connaissait pas ses limites et son entraîneur non plus. Il n'est pas facile de savoir si on a le cœur solide mais comprenez que lorsqu'on devient professionnel, on a eu le temps de s'en assurer.

— Mais il ne s'agit même pas de mourir. Je ne peux plus supporter l'idée que vous soyez blessé. Vous ne comprenez donc pas ? Je vous aime trop ! De semaine en semaine, j'ai de plus en plus peur pour vous. J'ai compris que je vous aimais plus que je n'ai jamais aimé Tim mais je ne veux plus souffrir.

La colère crispa le visage de Neil.

— Comment pouvez-vous dire que vous m'aimez et en même temps m'annonçer que vous me quittez ? Cela n'a aucun sens. N'allez-vous pas souffrir ?

— Si, bien sûr.

Elle n'osait plus affronter son regard.

— Avec le temps, j'oublierai.

— Peut-être ! Mais je peux vous dire que, moi, j'en souffrirai toute ma vie. Stéphanie, vous vous mentez à vous-même. Je ne risque rien. De plus, combien d'années me reste-t-il à jouer ? Trois, peut-être. Ce n'est pas parce que je suis footballeur que vous me quittez. Tim est mort d'une tumeur au cerveau ; il aurait pu faire n'importe quel autre métier, il serait mort de la même façon.

— Qu'en savez-vous ? Personne n'a pu prouver que des traumatismes répétés n'étaient pas à l'origine de cancers.

— Vous dites n'importe quoi !

Il la saisit au poignet.

— Je vais vous dire ce qui se passe. Vous êtes toujours attachée à Tim et vous vous sentez coupable de m'aimer au lieu de continuer à porter son deuil. Vous préférez fuir pour vous punir tous les deux.

— C'est faux ! protesta Stéphanie. Ne rendez pas les choses plus difficiles qu'elles ne le sont déjà.

Il ôta brusquement son bras de son poignet. Ses yeux brillaient de rage.

— Ah, oui ? fit-il d'une voix acerbe. Pauvre petite Stéphanie, qui ne supporte pas la vie telle qu'elle est ; les bonnes choses comme les mauvaises. J'ai vraiment été idiot toutes ces années d'aimer une femme qui n'est même pas capable d'accepter l'amour. Au revoir, Stéphanie.

Il bondit dehors et claqua violemment la portière derrière lui.

Stéphanie, pétrifiée par ce qu'il venait de lui dire, le regarda entrer chez lui et refermer sa porte. Elle tremblait des pieds à la tête. Neil était parti, parti à jamais. N'était-ce pas ce qu'elle voulait ? Non, elle ne le voulait pas ; de toute son âme, elle s'y refusait.

Lentement, elle fit démarrer sa voiture et rentra chez elle.

Chapitre 13

Stéphanie n'aurait jamais pu imaginer qu'elle souffrirait autant de quitter Neil. Ce n'était pas comme le choc qu'elle avait ressenti lorsque Tim avait été déclaré incurable ; c'était encore pire ! Elle était plongée soudain dans un abîme de solitude et de chagrin ; elle souffrait d'autant plus qu'elle était à l'origine de ce cauchemar. Elle avait beau se répéter qu'elle avait eu raison et que, bientôt, elle aurait dépassé sa douleur, elle n'arrivait pas à s'y faire.

Tout son être réclamait Neil. Elle avait besoin de sa présence rassurante, de ses caresses, de sentir ses bras autour d'elle. La nuit, elle rêvait de leurs étreintes et se réveillait en sursaut, dévorée par l'envie de l'appeler.

Sans lui, sa vie lui semblait avoir perdu son sens. Dans la grande maison vide, elle l'imaginait buvant son café le matin, torse nu et les cheveux en bataille, un petit sourire aux lèvres. Elle se surprenait à penser aux choses qu'elle voulait lui raconter et, à chaque fois, un profond désespoir l'envahissait quand elle se rappelait qu'il n'était plus là.

La force de leur amour avait bouleversé sa vie. Comment avait-elle pu croire qu'elle l'oublierait sans peine ? Ses résistances tombaient une à une et elle ne rêvait plus que de le retrouver.

Mais comment pouvait-elle croire qu'il lui suffirait d'aller le voir pour qu'il lui ouvre les bras ? Il avait fait preuve d'une telle froideur, il avait été si dur ! En la quittant, il avait semblé la haïr. Pourquoi ses sentiments à son égard auraient-ils changé ? Il était trop tard. Même si elle retournait vers lui, il ne voudrait plus d'elle.

D'ailleurs, la seule façon qu'elle avait de sortir de son désespoir était de ne rien regretter. Il fallait absolument qu'elle s'en convainque.

La seule chose qui la passionnait encore était son travail. Elle n'avait pas perdu le goût des recherches que nécessitait la rédaction de son livre. Il lui restait à interviewer le policier dont l'enquête avait mené à l'arrestation de Rodriguez, ainsi que d'anciens domestiques des Willoughby. Elle devait aussi se mettre en contact avec un acteur, habitant maintenant New York et qui disait avoir bien connu Angela Drake, à l'époque du kidnapping. Ces informations lui semblaient douteuses et elle voulait en vérifier le contenu par elle-même.

Jusqu'alors, elle avait repoussé ces interviews car elle ne voulait pas se séparer de Neil, ne serait-ce que pour quelques jours. Mais plus rien ne la retenait à Phoenix désormais et elle pensa qu'un petit voyage ne pourrait lui être que salutaire. Elle partit pendant deux semaines.

Le temps des interviews, elle parvenait à oublier son chagrin mais, dès qu'elle se retrouvait seule, elle était la proie d'un désespoir encore plus profond que lorsqu'elle était chez elle. Dans sa chambre d'hôtel, elle passait ses soirées devant la télévision à pleurer amèrement.

Un dimanche, elle ne put résister à l'envie de voir l'équipe des Arizona Apaches jouer un match important en Floride. Avant la retransmission de la partie, il y eut une interview de Neil qui avait été enregistrée la veille. Stéphanie le regarda attentivement mais ne put discerner le moindre signe d'un chagrin secret. Elle se rappela à l'ordre. Elle ne souhaitait pas qu'il soit malheureux. Elle devrait se réjouir de voir qu'il ne souffrait pas de leur séparation. Mais elle ne pouvait chasser de son esprit l'idée qu'il n'avait pas dû vraiment l'aimer, sinon il n'aurait pas semblé si calme et détendu.

Comment pouvait-elle être si égoïste ? Elle eut soudain honte de sa réaction et éteignit le poste de télévision. Elle alla à la fenêtre, regarda les enfants qui s'amusaient au bord de la piscine. Elle avait pensé aller nager mais elle y renonça : ces enfants étaient vraiment trop bruyants. Sans même qu'elle s'en rendît compte, ses pas la ramenèrent vers le poste de télévision qu'elle ralluma. Les adversaires de l'équipe de Phoenix avaient déjà marqué un but et les Arizona Apaches semblaient dans l'incapacité d'égaliser. Le jeu de Neil était très inégal. A chacune de ses actions manquées, son visage se tendait un peu plus et ses yeux étaient empreints d'une colère froide.

Stéphanie ne le reconnaissait pas. Il semblait avoir perdu toutes les capacités de concentration qui constituaient son meilleur atout. A un moment, une faute non sanctionnée exaspéra Neil qui se dirigea vers l'arbitre. Une violente altercation eut lieu. Stéphanie se tordait les mains d'anxiété. Cela ressemblait si peu à Neil. Etait-ce à cause d'elle qu'il perdait le contrôle de lui-même ? Elle n'aurait jamais pensé qu'elle pourrait porter atteinte à son jeu. Un sentiment de culpabilité mêlé de compassion l'envahit. Il fallait qu'elle le retrouve, elle n'allait tout de même pas gâcher sa carrière.

Mais non, ce serait pure folie ! Elle cherchait simplement une excuse pour le revoir. C'était par faiblesse et non par culpabilité qu'elle désirait le retrouver. Neil n'était tout simplement pas en forme. D'ailleurs, toute l'équipe jouait médiocrement. Mais ce n'était que passager ; la semaine suivante, ils joueraient certainement beaucoup mieux.

La retransmission du match fut suivie par des spots publicitaires et Stéphanie fut surprise de voir apparaître en gros plan le visage de Neil. Il vantait les mérites d'un rasoir jetable, une serviette négligemment posée sur son épaule. Stéphanie le dévora des yeux. Sa peau bronzée, ses yeux brillants, ses mains nerveuses éveillèrent en elle un violent désir. Elle se rendit compte soudain qu'elle frissonnait et se leva promptement pour éteindre le poste. C'en était assez de Neil Moran ! Elle saisit son sac à main et sortit en toute hâte.

Elle demeura abattue toute la journée et c'est avec joie qu'elle prit l'avion pour Phoenix le lendemain matin. Elle avait pratiquement terminé ses interviews ; elle entrait maintenant dans la phase ultime de son travail. Dès qu'elle arriva chez elle, elle écouta les messages recueillis par le répondeur automatique. Il y avait eu quelques appels : un de ses parents, un de son éditeur et deux de Claire. Mais aucun de Neil. Tout était pour le mieux. Il semblait bien s'accommoder de leur séparation mais elle ne pouvait pas en dire autant. Elle alla dans sa chambre et se jeta sur le lit en enfouissant son visage dans ses mains. Il fallait qu'elle se reprenne pour affronter à nouveau une vie de solitude ; elle ne put supporter cette idée et laissa couler ses larmes.

La sonnerie du téléphone l'obligea à se ressaisir. Elle ne pouvait tout de même pas répondre avec des sanglots dans la voix. Elle décrocha à la troisième sonnerie.

— Allô ?

Il y eut un temps d'hésitation chez son interlocuteur.

— Stéphanie ?

Neil démarra et prit l'autoroute qui menait à Tucson. Il régnait un profond silence entre eux. Stéphanie le regarda à la dérobée et se demanda ce qu'il éprouvait pour elle, maintenant. Accepterait-il qu'elle revienne si elle le lui demandait ? Elle s'admonesta : il n'en était pas question, il fallait qu'elle s'en tienne à sa décision. Le temps dissoudrait sa souffrance et elle serait heureuse d'avoir eu le courage de rompre.

Tout en fixant la route, elle lui dit, un peu maladroitement :

— Merci de m'avoir obtenu cette invitation.

— De rien. Cela ne m'a pas été difficile.

Ses paroles étaient polies, froides, aussi impersonnelles que celles qu'il adressait aux personnes qui lui demandaient un autographe. Ils n'échangèrent plus un mot jusqu'à la fin du trajet. Neil brancha le magnétophone et ils écoutèrent la musique en silence. Stéphanie ferma les yeux, fit semblant de dormir. Cela lui permettait de mieux supporter leur mutisme glacial...

Quand Neil regarda furtivement Stéphanie, elle dormait. Cela rendait l'atmosphère moins pénible mais il n'arrivait pas à comprendre comment elle pouvait se décontracter à ce point. Il se sentait si nerveux, si tendu que ses muscles en étaient douloureux. Il savait que, cette nuit-là, il ne pourrait trouver le sommeil en rentrant chez lui. Il resterait éveillé, essayant désespérément de chasser Stéphanie de ses pensées. Quand elle l'avait quitté, une terrible fureur s'était emparée de lui. Il la détestait pour ce qu'elle lui avait fait. Elle aimait toujours Tim et tout à coup il s'était senti inutile, rejeté. Il avait défoulé son agressivité sur le football mais jamais il n'avait aussi mal joué.

Puis sa colère avait petit à petit disparu en laissant place à un terrifiant sentiment de vide.

Pourquoi lui en vouloir ? Ne l'avait-elle pas prévenu ? Elle avait tenté de mettre un terme à leur relation dès qu'elle avait su qu'il l'aimait. Et lui, naïf, s'était cru capable de supporter toutes les épreuves. Mais le désespoir qu'il éprouvait maintenant le rendait plus malheureux qu'il ne l'avait jamais été. Il avait envie de sa douceur, de sa peau sucrée, de ses baisers. Il était devenu nerveux, irritable et ne pouvait plus dormir, hanté par son image. Il avait, au début, gardé l'espoir qu'elle regretterait sa décision et lui reviendrait, mais le temps passant, il avait dû admettre que tout était fini.

Quand Bernard Willoughby avait accepté l'interview, cela l'avait rendu si heureux qu'il avait composé son numéro en tremblant. Puis, il n'avait cessé de l'appeler en croyant aux choses les plus invraisemblables. Elle était morte, blessée ; elle avait déménagé... S'il l'imaginait avec d'autres hommes, cela le rendait fou. Quand il avait enfin réussi à la joindre, il lui avait fallu toute sa volonté pour dissimuler sa fureur. Il avait tant envie de la revoir !

Mais, maintenant, il se demandait s'il n'avait pas eu tort. Stéphanie semblait se désintéresser totalement de lui. Elle paraissait parfaitement détendue, affichait une attitude froide, réservée alors qu'il était tenaillé par le désir de la prendre dans ses bras.

Il quitta l'autoroute au nord de Tucson pour s'engager sur une petite route. Stéphanie rouvrit les yeux et regarda autour d'elle. Ils se trouvaient au milieu d'un paysage désertique fait de cactus et de grosses roches nues. Neil ralentit et fronça les yeux pour mieux voir.

— Que cherchez-vous ? lui demanda Stéphanie.

— Une route. M. Willoughby m'a dit que l'embranchement était sur la droite, après ce gros rocher rouge.

Le soleil éblouissant rendait la visibilité difficile. Neil décida alors de revenir en arrière et ils finirent par trouver une piste poussiéreuse qui semblait ne mener nulle part.

Neil conduisait lentement, afin de ne pas sortir de la piste à peine visible. Ils finirent par apercevoir dans le lointain une immense demeure dont on ne voyait que les étages supérieurs à cause du haut mur d'enceinte. Quand ils arrivèrent à l'entrée de la propriété, Stéphanie poussa un soupir de soulagement. Un garde contrôla leur identité avant de les laisser entrer.

Ils roulaient maintenant sur une très bonne route goudronnée et, après avoir passé un second contrôle, ils découvrirent la maison, grande demeure de brique rouge. Neil gara la voiture devant la porte d'entrée. Stéphanie regarda autour d'elle, impressionnée par l'aspect imposant de la maison. Avec ses barreaux aux fenêtres, elle avait tout d'une prison. Prison dorée peut-être, mais prison tout de même. Stéphanie ne put s'empêcher de réprimer un frisson.

Neil monta les quelques marches qui menaient à l'entrée et elle le rejoignit. Il la prit par le bras. Simple geste de courtoisie, se dit-elle. Quelques instants plus tard, un majordome stylé leur ouvrit et les conduisit à Bernard Willoughby. Il les attendait, assis dans un luxueux fauteuil de velours, un verre de whisky à la main. Il se leva, le visage radieux.

— Neil ! Je suis ravi de vous revoir. Comme j'ai été soulagé de voir que l'équipe s'était reprise pendant le dernier quart-temps.

Neil lui rendit son sourire.

— Et moi donc, monsieur Willoughby ! Voici

Stéphanie Tyler. Stéphanie, voici monsieur Bernard Willoughby.

— Je vous ai déjà dit de m'appeler Bernard, Neil. Et je vous demande de faire de même, Stéphanie. Enchanté de vous connaître.

Immédiatement, elle éprouva de la sympathie pour lui. Elle l'avait imaginé pâle, grave et un peu neurasthénique et il s'avérait être un homme enjoué, à la mine avenante. Sur les photographies, ses cheveux paraissaient poivre et sel alors qu'ils avaient de doux reflets argentés. En fait, il était beaucoup plus jeune que les photos ne le laissaient présumer.

Incapable de l'appeler par son prénom, Stéphanie lui dit simplement :

— Je vous remercie de m'avoir permis de venir.

— Tout le plaisir est pour moi. Désirez-vous boire quelque chose ?

Neil prit un whisky-soda. Quant à elle, elle demanda un kir qui lui fut servi dans un magnifique verre en cristal. Leur hôte leur fit signe de prendre place ; Stéphanie s'assit à ses côtés.

— Ma fille est un peu en retard. Veuillez l'excuser. Elle nous rejoindra dans quelques minutes.

Elle se demanda s'il n'avait pas plutôt demandé à sa fille de ne pas descendre immédiatement pour avoir le temps de discuter seul avec eux.

Willoughby se tourna vers elle.

— Votre mari était l'un des meilleurs footballeurs que j'aie jamais vus jouer.

— Merci.

— J'aurais tant aimé le rencontrer. Il avait un talent fou. Et vous pouvez me faire confiance, car le football est depuis toujours un de mes passe-temps favoris.

— Pour ma part, j'ai appris à apprécier le football après avoir rencontré Tim.

— Neil m'a dit que vous vouliez raconter le drame de ma fille.

— C'est exact.

— J'ai lu vos livres. Je n'ai guère apprécié celui sur le football. Je n'ai pas aimé votre façon d'aborder le sujet. En revanche, j'ai lu le dernier avec beaucoup de plaisir. Le style est clair, l'écriture concise : c'est tout à fait ce que j'aime. Si un livre devait être écrit sur notre histoire, je serais heureux de m'en remettre à vous. Mais nous vivons en retrait du monde et je ne sais si Marianne a très envie de redevenir un personnage public.

Stéphanie, sur le point de lui dire que ce n'était pas à lui de prendre une décision, se ravisa et préféra lui expliquer calmement son point de vue.

— C'est une histoire trop passionnante pour qu'un écrivain ne s'y intéresse pas. Tout le monde connaît déjà l'histoire du kidnapping et les deux procès. J'en parlerai, bien sûr, dans une première partie, mais ce qui m'intéresse surtout, c'est l'aspect humain de ces différentes affaires. Par exemple, ce qui est arrivé à Marianne et à sa famille depuis lors.

— Oh, vous savez, rien de sensationnel.

— Je le sais bien, mais cette histoire est si originale ; je suis persuadée qu'elle fascinera les lecteurs.

— Je n'en doute pas... Cependant, pourquoi devrions-nous révéler notre vie privée ?

— Par souci de vérité. Pour que les gens n'aient pas une fausse image de Marianne.

Il la fixa avec attention.

— Cela signifie que, quel que soit mon avis, vous écrirez le livre.

— Oui.

Il se tut un moment puis reprit :

— Je préférerais que vous y renonciez. C'est

surtout pour Marianne ; j'ai eu suffisamment de mal à lui éviter d'être importunée.

— Je comprends parfaitement. Vous voulez que votre vie privée soit respectée. Mais si je n'écris pas ce livre, quelqu'un d'autre le fera. Et la vérité risque d'en souffrir.

— C'est par souci de vérité que vous voulez nous interviewer ?

— Naturellement.

Bernard Willoughby soupira et alla chercher un cigare. Il en offrit un à Neil puis se tourna à nouveau vers Stéphanie.

— Chère madame, je dois avouer que vous m'intriguez. J'étais tout à fait contre l'idée de ce livre. Si je vous ai invitée, c'est parce que Neil Moran, que j'admire beaucoup, me l'a demandé. Mais je dois dire que vous m'avez convaincu. Je vous autoriserai à écrire ce livre, si vous respectez mes conditions. Tout d'abord, je ne parlerai que du kidnapping ; je ne répondrai à aucune question concernant mes affaires présentes. D'autre part, vous ne poserez aucune question à Marianne sur le rapt. Je ne veux pas que vous raviviez un passé douloureux. Vous vous contenterez de lui parler de ce qui s'est passé après le drame. Etes-vous d'accord ?

— Mais tout à fait. Je ne tiens pas à lui rappeler des souvenirs insupportables.

— Dans ce cas, vous pouvez la voir. Quant à moi, je pars en voyage pendant deux semaines et je vous appellerai à mon retour pour mon interview.

Il se tut, tira une bouffée de son cigare, rejeta un nuage de fumée.

— Vous savez, je crois que cela fera le plus grand bien à Marianne de vous connaître.

Stéphanie réussit à cacher sa surprise.

— Merci, vous êtes très aimable.

Willoughby se tourna alors vers Neil et commença à discuter du match qui aurait lieu la semaine suivante. Stéphanie ne se mêla pas à leur conversation, toute à la joie de pouvoir interviewer Marianne Willoughby en personne. Nul doute que cela allait considérablement valoriser son livre.

Un léger bruit de pas précéda l'arrivée de la jeune fille. Elle était vêtue d'un pantalon de toile bleu et d'une tunique blanche dont les manches étaient rayées de bandes rouges, jaunes et bleues. Stéphanie reconnut immédiatement la griffe d'un couturier dans cette tenue pourtant très sobre. Marianne était petite et frêle. Son visage, parfaitement triangulaire, était animé par de grands yeux bruns qui reflétaient l'étonnement; de longs cheveux blonds lui tombaient jusqu'aux reins. Tout en elle exprimait la fragilité. Elle était à peine maquillée et paraissait beaucoup plus jeune que son âge. Elle avait vingt-quatre ans, mais on lui en donnait à peine dix-huit, tant l'innocence se lisait sur son visage.

Marianne leur sourit timidement en entrant dans la pièce.

— Bonsoir, je suis désolée d'être en retard.

Neil se leva et la salua d'un regard admiratif. Stéphanie se sentit soudain jalouse mais elle se rappela à l'ordre. Neil ne lui appartenait pas et il fallait qu'elle gagne la confiance de la jeune fille. Cela ne lui fut pas difficile. Sous ses dehors naïfs, Marianne cachait une vive intelligence et, tout de suite, leurs rapports furent francs et amicaux.

Le repas s'avéra délicieux et la conversation animée, mais Stéphanie ne parvint pas à oublier la tension existant entre elle et Neil. C'est avec soulagement qu'elle le vit suivre leur hôte vers la salle de projection où Bernard allait lui montrer des matches dont les films étaient devenus introuvables.

Stéphanie et Marianne se retrouvèrent seules et échangèrent un sourire.

— Voulez-vous visiter la maison ? demanda Marianne.

— Volontiers.

— Allons d'abord dans la bibliothèque, c'est mon endroit préféré.

— Vous lisez beaucoup ?

— Enormément. C'est la seule façon pour moi de m'instruire et de m'informer de ce qui se passe dans le monde. Vous savez, je ne sors pas beaucoup.

Une note de regret perçait dans sa voix.

— Votre père m'a permis de vous interviewer pour le livre que je suis en train d'écrire.

— C'est vrai ? demanda Marianne avec stupéfaction. Je suis si contente ! Cela va être très agréable de parler avec vous ; vous êtes si différente des gens que je connais.

— Comment cela ?

— Vous êtes la seule femme que je connaisse qui gagne sa vie sans être pour autant gouvernante ou préceptrice. J'ai bien une cousine qui fait du théâtre mais c'est un passe-temps. Alors que vous, vous êtes totalement indépendante. Et puis, votre travail me fascine. J'ai adoré vos livres. J'admire la façon dont vous écrivez et j'admire tout autant votre mode de vie.

Stéphanie lui lança un regard interrogateur.

— Vraiment ? Ma vie n'a pourtant rien d'original !

— Pour vous peut-être. Mais elle l'est pour moi. Je ne suis jamais allée nulle part et je serais complètement perdue si je sortais d'ici.

— C'est ce qui vous retient ici ?

Marianne hocha la tête.

— Papa redoute de se retrouver seul, alors je reste un peu pour lui mais aussi parce que j'ai peur moi-même. Vous savez, je ne sais même pas conduire et je serais incapable de faire des courses ou de trouver à me loger.

Marianne lui fit visiter la maison tout en lui racontant sa vie. Stéphanie était fascinée. Elle avait l'impression d'entendre un conte fantastique. Elles en vinrent à parler du futur mari de Marianne. Elle ne semblait pas follement enthousiaste à l'idée de ce mariage.

— L'aimez-vous ? demanda Stéphanie à brûle-pourpoint.

— Je n'en suis pas sûre, répondit Marianne après un temps de réflexion. Cela peut vous sembler bête, mais je ne sais pas à quoi l'on reconnaît l'amour. Comment dire, j'aime mon père, ma mère, ma tante Sally. Mais ce n'est pas la même chose, n'est-ce pas ? J'aime bien William. Il est très gentil avec moi, mais je n'ai jamais fréquenté d'autres hommes. Seulement les amis de papa et les membres de la famille. J'ignore ce que je suis censée ressentir pour mon fiancé. Je manque tellement d'expérience. C'est peut-être pour cela que je n'éprouve pas d'émotions fortes. Qu'en pensez-vous ?

Stéphanie ne savait que dire. Elle aurait tant aimé contredire les propos candides de la jeune fille. Mais était-ce possible ? Si Marianne n'avait jamais connu les mille émotions que chacun vit chaque jour, comment pourrait-elle mesurer la profondeur de ses sentiments ?

— Vous êtes peut-être un peu trop jeune pour prendre une telle décision. Attendez d'acquérir plus d'expérience.

Le regard noisette de Marianne se voila légèrement.

— Je sais bien, mais papa serait tellement déçu. Il a besoin de savoir que quelqu'un me protégera après sa mort. Je ne veux pas lui faire de peine. Et puis, William me connaît bien. Il me comprend, il ne m'intimide pas. Je ne saurais pas comment m'adresser à un homme comme votre ami Neil.

Stéphanie voulut protester mais se ravisa. A sa façon, malgré son peu d'expérience, Marianne avait une bonne intuition des choses.

— Je serai bien avec William.

— Disons que vous serez à l'abri.

— Oui, c'est cela.

Marianne lui adressa un petit sourire.

— Comme je dois vous sembler peureuse et timorée ! Vous, vous foncez dans la vie tête baissée. Vous êtes si forte.

Les paroles innocentes de Marianne déchirèrent Stéphanie. Elle se força pourtant à lui sourire en répondant :

— Vous seriez surprise de savoir combien vous vous trompez.

Chapitre 14

Le samedi matin, Stéphanie prépara l'interview. Ce travail exigeait une parfaite connaissance du dossier, ainsi qu'une bonne dose d'habileté car elle tenait fermement à éviter toute question se rapportant directement au kidnapping. Cependant, l'image de Neil la hantait et elle parvenait difficilement à se concentrer. Ses pensées revenaient sans cesse à la soirée de la veille. Avoir vu Neil l'avait brisée. Elle s'était sentie irrésistiblement attirée par lui et se contrôler avait été une lutte de chaque instant. Au moindre geste de Neil, elle se serait jetée dans ses bras ; mais il n'avait pas bougé. Etre si près de lui, et en même temps si loin ! Quelle torture !

Neil la haïssait, elle en était sûre. Tout l'avait clairement montré la veille. Il était resté distant, lui avait à peine adressé la parole. Elle aurait dû s'en réjouir. Il l'oublierait ainsi plus facilement. N'était-ce pas ce qu'elle souhaitait ? Elle ne voulait surtout pas qu'il souffre autant qu'elle...

Elle avait fait le bon choix. Elle était mieux sans lui. Plus à l'abri !... Voilà qu'elle ressemblait à Marianne Willoughby. Stéphanie se renfrogna mais elle n'eut pas le temps d'y penser plus longtemps : la sonnerie du téléphone retentissait. Elle répondit avec soulagement :

— Allô ?

— Stéphanie, comment allez-vous ? C'est Claire. J'essaie de vous joindre depuis une semaine.

— J'étais partie faire des interviews. Je suis désolée, j'aurais dû vous rappeler.

Elle ne lui avait pas donné de ses nouvelles depuis la fameuse soirée où tout avait tourné à la catastrophe. Elle avait d'abord été trop heureuse pour penser à s'excuser, puis bien trop triste.

— Ce n'est pas grave. Moi-même, je n'ai pensé à vous appeler que la semaine dernière. Si nous déjeunions ensemble pour rattraper le temps perdu ?

— Pas aujourd'hui, répondit vivement Stéphanie.

— La semaine prochaine, ou quand vous voulez.

— Venez donc chez moi ; en ce moment, je n'ai pas très envie de sortir.

— Je me demandais pourquoi vous n'assistiez plus aux matches. Que se passe-t-il ?

— Pourquoi, vous êtes allée voir les Arizona Apaches ?

— Bien sûr. Ne me dites pas que vous n'êtes pas au courant ?

— Mais au courant de quoi ?

— On voit que vous ne fréquentez pas beaucoup les femmes de l'association en ce moment, dit Claire en riant.

— En fait, Neil et moi...

— Je voulais justement vous remercier en vous invitant au restaurant.

— Me remercier ?

— De m'avoir présenté Peter.

— Cherneski ?

Claire avait décidément beaucoup d'humour aujourd'hui. Stéphanie s'excusa.

— Je suis vraiment désolée pour l'autre soir. Je ne pensais pas que les choses tourneraient si mal.

— En fait, quand Neil et Peter sont arrivés, j'ai

regretté d'être si peu présentable. Mais cela n'a rien empêché.

— Vous... vous voulez dire que Ray vous a rappelée ?

— De qui parlez-vous ?

— De Ray Cooper, l'entraîneur.

— Ah, oui ! C'est lui qui a raccompagné Neil et Peter. Mais pourquoi m'aurait-il appelée ?

— Je ne comprends pas. Expliquez-vous, Claire !

— Je parle de Peter...

— Peter et vous... ?

— Oui. Stéphanie, je vous serai éternellement reconnaissante de m'avoir invitée ce soir-là.

Stéphanie restait médusée. Peter était séduisant, à sa façon, et agréable, mais il était bien plus jeune que Claire. Et puis comment le tempérament artistique de son amie pouvait-il s'accommoder de blagues idiotes et de tours de magie ratés ?

— Qu'est-ce qui vous étonne tant ?

Claire semblait vexée.

— Vous trouvez que je suis trop âgée pour lui ?

— Pas du tout. Seulement, vous êtes si différents. Vous ne vous moquez pas de moi, Claire ? Vous ne dites pas cela pour me faire des reproches sur la soirée ?

— Doux Jésus, non ! Qu'aurais-je à vous reprocher ? Je n'ai jamais été aussi heureuse. Peter est merveilleux. L'autre soir, il est venu chez moi boire un café. Nous avons longtemps discuté et puis... voilà. Je reconnais que Peter est parfois un peu étrange, mais pourquoi pas !

— Il joue vraiment les athlètes...

— Je sais. Et puis il a huit ans de moins que moi. Mais que voulez-vous, je l'aime. Il me rend très heureuse. N'est-ce pas ce qui compte après tout ? Je crois qu'il faut prendre des risques dans la vie. C'est ce que je fais avec Peter. Je suis décidée à profiter de la vie et tant pis si notre histoire ne dure pas.

Stéphanie écouta encore Claire lui vanter toutes les qualités de Peter. Puis elles prirent rendez-vous à déjeuner pour la semaine suivante. Dès qu'elle eut raccroché, Stéphanie s'affala dans son siège. Quelle drôle d'histoire ! Elle qui croyait que Peter avait tout gâché ! Elle sourit en se rappelant la soirée.

On frappa à la porte et Stéphanie soupira. Quand pourrait-elle enfin travailler ? Elle ouvrit pour découvrir Julie, les bras croisés, qui la regardait d'un air décidé.

— Julie ? Que se passe-t-il ?

— Vraiment, Stéphanie ! s'écria Julie en mettant les mains sur ses hanches. Vous êtes aussi bête qu'une oie. Pourquoi avez-vous quitté Neil ?

— Ne parlons pas de cela, voulez-vous ?

Julie la suivit dans son bureau.

— C'est justement pour cela que je suis venue vous voir. Mais que vous arrive-t-il ? Pourquoi l'avez-vous laissé tomber ?

— Parce que je ne supporte pas de trembler à chaque match. Je n'ai pas votre patience, Julie. J'ai déjà perdu un mari et je ne veux pas passer mon temps à redouter un nouveau drame.

— Vous voulez dire que vous avez demandé à Neil de choisir entre vous et le football ?

— Pas du tout !

— Pourtant...

— Ecoutez : Neil adore le football et il jouera aussi longtemps qu'il le pourra. Je sais que je ne peux l'en empêcher. Mais rien ne m'oblige à rester avec lui jusqu'au jour où il aura un accident.

— Neil a peut-être cru à cela, mais moi, je vois les choses autrement. Vous vous mentez à vous-même. C'est l'amour qui vous fait peur. Pas le football. Vous avez déjà tellement souffert à la mort de Tim que vous feriez n'importe quoi pour vous protéger, pour ne plus jamais avoir mal. Vous êtes terrifiée à l'idée de revivre un jour la même épreuve.

— Pire encore, murmura Stéphanie.

— Pardon ?

— Ecoutez, Julie. J'aimais tendrement Tim, mais ce que j'éprouve pour Neil est totalement différent.

Stéphanie soupira et se leva.

— Peut-être avez-vous raison. C'est sans doute l'amour qui me fait peur, pas les dangers du football. Mais au bout du compte, où est la différence ? Je dois me protéger. Sinon, mon amour finira par me déchirer. Chaque jour, il prenait plus de place dans ma vie. En le perdant, je risquais de tout perdre.

— Pourquoi parlez-vous toujours de le perdre ?

— Forcément, cela arrivera un jour.

— Il est évident qu'un jour Neil mourra... de vieillesse ! répliqua Julie, sarcastique. Alors, comme ça, vous envisagez sérieusement de vivre le restant de vos jours sans jamais aimer personne tant vous avez peur de souffrir ? Quelle genre de vie vous préparez-vous là ?

Stéphanie la fixa un moment sans rien dire avant de murmurer :

— Une vie comme celle de Marianne.

— Qui donc ?

— Une jeune femme que je connais. Elle a toujours vécu dans un cocon, complètement à l'écart du monde sans rien connaître de la vie réelle. Elle ne sait même pas ce qu'est l'amour. Hier soir, elle m'a fait pitié. Je me disais que ce devait être affreux de ne connaître que ce néant, cette absence totale d'émotion, de sentiment et de passion.

Un éclair passa dans les yeux de Stéphanie, sa voix monta d'un ton.

— Mon Dieu, c'est exactement ce que je suis en train de faire ! Par peur des conséquences, j'ai tout simplement banni l'amour de mon existence.

— Alléluia !

Julie leva comiquement les bras au ciel et se laissa tomber dans le siège le plus proche.

— Elle retrouve enfin la raison !

Les yeux fixes, Stéphanie réfléchissait. Tout lui apparaissait soudain si clair, si évident. Elle avait eu peur. Et aujourd'hui il était trop tard.

— Que voulez-vous que je fasse maintenant ?

— Quelle question ! Allez voir Neil, bien sûr.

— Mais vous ne comprenez donc pas ? Neil ne tient plus à moi. Je crois même qu'il me déteste.

Stéphanie se tourna vers Julie, les yeux embués.

— Hier soir, il m'a pratiquement ignorée. Il m'a accompagnée chez les Willoughby mais il était clair que c'était pour tenir sa promesse. Vous connaissez son sens du devoir. Froid et guindé, il m'a à peine adressé la parole de toute la soirée.

— A quoi vous attendiez-vous donc ? Vous l'avez éconduit il y a quinze jours. Bon sang, Stéphanie, cet homme vous aime depuis des années, il réussit enfin à vous séduire, vous filez le parfait amour, il s'imagine que ses rêves les plus fous sont exaucés et voilà que, brutalement, vous saccagez tout ! Et vous voudriez qu'il soit heureux ? Il est fou de chagrin. Le contraire serait étonnant. Quoi de plus normal qu'il se soit comporté ainsi ? Je suis bien certaine qu'il ne savait que dire ou que faire, vous sachant à nouveau inaccessible. Il devait être tiraillé entre l'envie de vous étrangler et de vous prendre de force dans ses bras !

Stéphanie laissa fuser un rire, le premier depuis des jours.

— Oh, Julie, vous pensez vraiment ce que vous venez de dire ?

— Je ne le pense pas, je le sais ! Avez-vous regardé le match dimanche dernier ? Neil était dans tous ses états. Il avait un mal fou à se concentrer. Ce genre de chose n'arrive pas à un joueur de la classe de Neil Moran, s'il n'est pas violemment bouleversé. Vous l'avez profondément blessé dans son amour-propre en le laissant tomber, mais en vérité, tout cela dissimule simplement un immense chagrin. Il vous aime !

Le regard soudain brillant, Stéphanie s'écria :

— Pourvu que vous ayez raison. Sinon, je vais me couvrir de ridicule.

Les deux mains autour de sa tasse de café, Neil laissait errer son regard à travers les larges baies vitrées de son salon. L'aube se levait : d'abord le soleil irisa les crêtes des montagnes puis éclaboussa de lumière la ville de Phoenix. Mais Neil était insensible à la beauté du spectacle. Il était totalement absorbé par les pensées qui l'avaient hanté toute la nuit. Une nuit affreusement agitée, quasiment blanche, où, épuisé, il ne s'assoupissait de temps à autre que pour se réveiller en sursaut, l'esprit aussitôt assailli par les questions qui le torturaient.

La soirée avait été particulièrement pénible. Stéphanie était en beauté ; elle avait gaiement discuté avec Bernard Willoughby et, sur le chemin du retour, elle avait parlé avec animation de son projet d'interview de Marianne. A un moment, même, elle s'était penchée vers lui, avait pris sa main et, rayonnante, l'avait chaleureusement remercié. A ce contact, un désir fou et brûlant l'avait submergé, balayant un instant son chagrin. Il la désirait, il la voulait tout entière, son corps, son sourire, sa vivacité d'esprit, sa sensualité exigeante. Un violent sentiment de frustration l'envahit. Même après l'avoir déposée chez elle, tout son être était encore en proie aux tourments de sa passion contrariée.

Il la désirait tant, et elle se refusait à lui. C'était une situation impossible, sans issue. Il avait toujours été un battant mais, là, il était dans une impasse. Il ne pouvait contraindre Stéphanie à l'aimer.

Il sauta dans sa voiture et partit à l'entraînement. Comme tous les samedis matins, l'équipe avait un programme d'entraînement allégé. Dans son état d'esprit, l'exercice était un bon dérivatif ; il aurait seulement souhaité qu'il fût plus violent. L'entraînement terminé, le sentiment de frustration était toujours aussi vif. Il aurait voulu chasser son angoisse dans l'effort mais le souvenir de Stéphanie était toujours aussi profondément ancré en lui. C'était une bataille qu'il avait perdue il y avait longtemps déjà, bien avant la mort de Tim.

Soudain, il se figea en fixant son reflet dans la glace. Il se trompait quand il pensait n'avoir jamais perdu de bataille. Il avait admis sa défaite vis-à-vis de Stéphanie depuis longtemps. Elle avait été la femme de Tim et, à l'époque, il n'avait pas même tenté sa chance. Il avait baissé les bras. Et il comprit soudain que tout son problème venait de là : il s'était toujours attendu à perdre Stéphanie et n'avait jamais vraiment cru qu'elle était sienne. Il avait vécu leur aventure dans un état d'exaltation émerveillée, mais, au fond de lui, quelque chose lui disait que cela ne durerait pas.

Il enfonça ses poings dans ses poches, l'esprit en effervescence.

Pourquoi leur union serait-elle impossible ? Simplement parce que Stéphanie le lui affirmait ? Depuis quand se laissait-il arrêter par de simples paroles ? Jusque-là, le mot « impossible » n'avait jamais représenté qu'un défi de plus pour lui. Mais, de Stéphanie, il l'avait accepté. Il avait déjà si souvent renoncé. Une lueur combative s'alluma dans ses yeux. Non ! Cette fois, il ne renoncerait pas, il allait la reconquérir ! En toute hâte, il enfila ses vêtements de ville et sortit du vestiaire à toute vitesse.

Stéphanie courut vers la maison. Dans sa précipitation, elle oublia même de dire au revoir à Julie. Elle venait d'avoir une idée qui lui semblait infaillible. Quelques années auparavant, des amies lui avaient offert, en guise de plaisanterie, de ces dessous affriolants qui sont censés affoler les hommes. Elle n'avait jamais eu le cran de les porter ; pourtant, maintenant, cela lui semblait la façon idéale de signifier à Neil qu'elle voulait le retrouver. Il ne pourrait que succomber. Après avoir fouillé dans tous ses tiroirs, elle mit enfin la main dessus.

Elle disposa soigneusement la lingerie sur le lit et esquissa un léger sourire. Cela devrait faire l'affaire, elle serait irrésistible dans cette tenue. Elle fit rapidement couler un bain dans lequel elle jeta une poignée de sels parfumés. Tout en se détendant dans l'eau, elle se décida à aller l'attendre chez lui dans cette tenue. Elle eut un petit rire nerveux en imaginant la tête que Neil ferait en la voyant ainsi affublée. Comment réagirait-il à sa tentative de séduction quelque peu pathétique ? Et s'il lui riait au nez et la chassait de chez lui ? Non, elle ne devait pas être arrêtée par de telles pensées. Même si Neil ne réagissait pas comme elle l'espérait, elle devait prendre ce risque.

Stéphanie releva ses cheveux en un chignon savamment désordonné d'où s'échappaient quelques boucles, formant un nuage d'or autour de son visage. Elle se maquilla soigneusement puis contempla les dessous étalés sur le lit. Tout d'abord, elle se glissa dans la guêpière de satin noir, largement échancrée sur les hanches. Le corset épousait parfaitement ses formes voluptueuses et soulignait sa taille de guêpe. Bordant le décolleté, un fin galon de dentelle noire tranchait sur sa peau dorée. Le soutien-gorge, pigeonnant, rehaussait insolemment sa poitrine qui s'offrait aux regards, à peine ombrée par un voile transparent. Du corset s'échappaient les longs rubans noirs des jarretelles.

Elle s'assit sur le lit pour enfiler des bas résille qu'elle fixa aux jarretelles. Elle donna une touche finale à sa tenue en nouant un ruban de velours noir autour de son cou. Puis, elle mit des chaussures à hauts talons, noires elles aussi. Elle contempla son reflet dans la glace et, dans une posture langoureuse, fit une moue digne de Marylin Monroe. Elle éclata aussitôt de rire. Sa tenue était peut-être un peu ridicule, voire même déplacée, mais une chose était sûre, elle ne laisserait pas Neil indifférent. C'était bien là son but, non ?

Elle dissimula ses charmes sous un imperméable de coupe masculine. Bien sûr, les bas résille pourraient surprendre ; mais en voiture, cela ne se verrait pas. Elle alla chercher ses clés, son sac et sortit. Une voiture était garée non loin de sa maison et un homme avançait à grands pas sur le trottoir. Ce n'est qu'au bout de quelques instants qu'elle reconnut Neil, marchant vers elle d'une allure décidée, le visage tendu.

— Oh, non ! murmura-t-elle à mi-voix.

Son plan tombait à l'eau.

En un instant, Neil était près d'elle. Il la saisit violemment par le bras, lui fit faire volte-face et la ramena chez elle.

— Bon sang, Stéphanie, je ne vous laisserai pas faire ça ! s'exclama-t-il d'un ton furieux.

— Comment ?

— Vous m'avez parfaitement entendu. Je ne vous laisserai pas tout saccager à cause de vos craintes insensées.

Il se tut soudain.

— Mais qu'est-ce que vous faites avec un imperméable sur le dos ? Il fait trente-cinq degrés et il n'y a pas un nuage à l'horizon.

— Euh... Eh bien...

Il poursuivit :

— Mais c'est sans importance.

Il la poussa sans ménagement vers le salon.

— Vous allez vous asseoir et m'écouter.

Stéphanie s'assit docilement sur le bord du canapé en couvrant ses genoux de son imperméable. Neil croisa les bras et commença à marcher de long en large.

— Cela fait quatre ans que je vous aime. Je vous ai aimée tout le temps que vous étiez mariée avec Tim. Je vous ai aimée après sa mort mais je n'ai rien dit, attendant que vous surmontiez votre chagrin. Quand vous m'avez enfin appartenu, je suis devenu de plus en plus amoureux de vous. De jour en jour, je vous désirais plus violemment. Je n'étais jamais las de vous et je ne le suis toujours pas.

Il se tourna vers elle et vrilla son regard sombre dans ses prunelles. Il lui dit, en accentuant chaque mot :

— Je vous aime et pour rien au monde je ne renoncerai à vous.

— Neil...

— Non, laissez-moi finir. Je ne vous laisserai pas tout détruire... J'ai d'abord pensé que vous reviendriez sur votre décision. Et puis, quand j'ai vu que vous n'en faisiez rien, je vous ai appelée et je suis tombé sur votre répondeur. Pendant dix jours, j'ai cru devenir fou à essayer d'imaginer où vous étiez et avec qui.

— J'étais partie faire des interviews pour mon livre.

Il poursuivit comme s'il ne l'avait pas entendue :

— Je vous ai emmenée chez les Willoughby en espérant que nous en parlerions et que tout s'arrangerait. Mais vous avez été si froide et je me sentais si embarrassé, si mal à l'aise. Je ne savais que vous dire. Et je détestais cette façon que vous aviez de jouer avec mes sentiments, de m'offrir votre amour et de le reprendre aussi rapidement.

— Mais c'est faux ! s'écria Stéphanie. C'est vous qui étiez froid et distant.

— Comment ! Toute la soirée je suis resté assis comme un imbécile, vous désirant si violemment que j'en tremblais.

— Neil !

Elle se leva, profondément bouleversée par le chagrin qu'elle percevait dans sa voix.

— Mais je vous aime ! Je vous veux ! Pour moi aussi, ces derniers jours ont été un enfer.

— Alors pourquoi avez-vous fait ça ? gronda-t-il. Pourquoi n'êtes-vous pas revenue ?

Il eut un geste d'impuissance et détourna la tête.

— Je n'ai pas pu fermer l'œil de la nuit. Vous m'avez hanté sans répit. Je ne supporte plus de vivre ainsi ; c'est inhumain. Stéphanie, je vous aime. Et j'entends bien vous épouser même si je dois vous traîner de force à l'église.

Un sourire radieux s'épanouit sur le visage de Stéphanie.

— Quel romantisme échevelé !

Il la regarda, fasciné.

— Pourquoi cet imperméable ? Retirez-le donc.

— A vos ordres, répondit-elle, mutine.

Elle se leva. Neil parlait toujours. D'un seul geste, elle fit glisser le vêtement sur ses épaules et le laissa négligemment tomber sur le sol.

Neil s'interrompit brusquement. Il la regarda, effaré, mais rapidement l'étonnement fit place à un désir torride.

— Stéphanie...

Elle sourit et s'avança vers lui, les mains sur les hanches, encouragée par la fièvre qu'elle lisait dans ses yeux. Tout près de lui, elle pencha la tête dans une attitude de défi.

— Eh bien ?

— Dieu que vous êtes belle ! Mais... ce n'était pas pour un autre, que...

— C'était pour venir vous voir.

Il l'attira contre lui. Avide, sa bouche chercha impérieusement à capturer ses lèvres. Elle lui répondit avec fougue. Ils frissonnaient, dévorés par la joie de se retrouver après une si longue et si cruelle attente. S'il relâcha légèrement son étreinte ce fut pour lui murmurer à l'oreille :

— Je vous aime.

Il ne lui laissa pas le temps de parler. A nouveau, il s'empara de ses lèvres, glissa ses mains caressantes sur son dos jusqu'à ses hanches pleines. Il effleura ses dentelles et Stéphanie sentit les battements affolés de son cœur. Haletant, il s'écarta un peu d'elle, plongea dans ses yeux son regard de braise tandis que ses mains s'emparèrent des formes pleines de sa poitrine.

Stéphanie se sentit fondre sous ses caresses et, le souffle court, chavira. Neil s'agenouilla, détacha les bas des jarretelles, puis déposa de légers baisers sur la chair nacrée de ses cuisses. Avec une infinie délicatesse, il lui ôta ses chaussures et, lentement, fit glisser ses bas le long de ses jambes. D'une main, il dégrafa sa guêpière. Elle lui apparut dans sa somptueuse nudité.

Il prit ses seins dans la coupe de ses mains, se pencha pour les embrasser. Le visage transfiguré par le bonheur, il se lança sans plus de retenue à la découverte de son corps brûlant. Frémissante d'un indicible vertige, elle s'agrippa à lui.

Neil poussa un soupir rauque et elle lui demanda dans un souffle :

— Voulez-vous que je vous déshabille ?

Il hocha la tête.

Elle passa ses mains sous son polo et le fit glisser par-dessus sa tête. Ses doigts s'enfouirent dans la toison sombre et bouclée de sa poitrine avant de suivre avec ferveur les contours fermes de ses muscles.

Frénétiquement, Neil l'étreignit en murmurant les mots incohérents de la fièvre amoureuse et elle parcourut son corps musclé de baisers passionnés. Neil gémit de plaisir, lui rendit ses caresses avec fougue. Appelant la volupté suprême, le corps de Stéphanie se cambra instinctivement.

Il la renversa sur le sol et lui murmura, éperdu :

— Aimez-moi. Ne me quittez plus jamais.

— Jamais plus, dit-elle, en l'enlaçant passionnément.

Dans un même élan d'amour et de désir, ils s'unirent pour aborder ensemble aux rives enchanteresses du plaisir partagé.

Reprenant conscience, Neil roula sur le dos, attira la tête de Stéphanie contre sa poitrine. Il lui caressa tendrement les cheveux et déposa délicatement un baiser sur son front.

— Je vous aime. Comprenez-vous maintenant pourquoi je ne veux pas vous laisser partir ?

— Oui, répondit-elle, le regard brillant. Je vous aime aussi.

Il se mordit la lèvre.

— J'ai... j'ai décidé d'abandonner le football.

— Pardon ?

— J'abandonne à la fin de la saison. Comme cela, vous n'aurez plus à redouter un accident.

— Vous feriez cela pour moi ?

— Oui.

Les yeux de Stéphanie s'embuèrent de larmes.

— Oh ! Neil ! Je ne vous mérite pas.

Il sourit.

— Je sais. Je suis un type formidable !

— Mais je parle sérieusement ! Je n'aurais jamais imaginé que vous renonceriez au football pour moi.

— Le choix fut facile. Vous êtes toute ma vie.

Stéphanie éclata en sanglots puis, ravalant ses larmes, lui dit :

— Je sais combien vous aimez ce sport. Oh, Neil, vous ne m'avez pas comprise. Je ne veux pas que vous renonciez à ce qui compte tant pour vous. L'amour et le football peuvent tous deux avoir place dans votre existence.

— Comment ?

Perplexe, il fronça les sourcils.

— Quelle est la cause de ce revirement soudain ?

— Je m'en veux vraiment. Il faut me pardonner. Maintenant, je me rends compte que j'essayais tout simplement de me protéger. J'avais si peur d'avoir mal. Comme vous aviez la même profession que Tim, il m'était facile de l'incriminer. Mais aujourd'hui, Julie m'a ouvert les yeux. J'étais dominée par la peur.

— Je ne comprends pas.

— Evidemment, vous êtes si solide, si sûr de vous. Vous ne pouvez pas comprendre un comportement aussi irrationnel. Voyez-vous, quand je vous ai vu là, blessé sur le terrain, j'ai compris à quel point je vous aimais, à quel point je tenais à vous. Vous étiez tout pour moi. En vous perdant, je me perdais moi-même. J'ai préféré m'enfuir. Mais aujourd'hui, j'ai compris que ce n'est pas ce que j'attends de la vie. Qui ne risque rien n'a rien.

Neil lui prit la main et la porta à ses lèvres.

— Je vous promets de prendre soin de moi-même comme de notre amour. Je suis fermement décidé à tout faire pour que plus rien ne nous sépare jamais.

Il se tut un instant et ajouta sur le ton de la plaisanterie :

— Et vous connaissez mon obstination.

Stéphanie sourit.

— Oui, je commence à la connaître vraiment. Vous obtenez toujours ce que vous voulez. Cela tombe bien, en l'occurrence... Oui, je veux revenir dans votre vie et ne plus jamais en sortir, à moins que vous ne m'en chassiez.

— Cela m'étonnerait fort.

— Alors, promettez-moi de ne pas abandonner le football.

— Je serai bien forcé de m'arrêter un jour.

— Mais je ne veux pas que vous le fassiez à cause de moi. Cela ne servirait qu'à vous rendre amer et, avec le temps, vous finiriez par m'en vouloir.

— Vous avez sans doute raison. Je vous promets de ne pas mettre fin à ma carrière pour vous. Je le ferai de moi-même, quand le temps sera venu.

— Ce moment est-il encore loin ?

— Vous essayez de me tendre un piège ? Eh bien, ce ne sera pas de sitôt ; à moins que je ne sois blessé ou que le mariage ne me rende si gras et paresseux que je devienne incapable de jouer.

— Le mariage ?

Neil lui sourit.

— Et vous avez une candidate en tête pour le rôle de la mariée ?

— Oui. Elle devra être belle, sensuelle, intelligente et bourrée de talent. Et il faudrait qu'elle ait déjà une expérience du mariage car, moi, je n'en ai aucune.

— Une veuve, en somme ?

— Ou bien une divorcée, précisa-t-il. Heureusement, je n'aurai pas trop longtemps à chercher, j'ai déjà trouvé.

— Ah, vraiment ?

— Eh oui !

— Peut-on connaître le nom de cette femme idéale ?

Il la prit par les épaules et l'attira contre lui.

— Mais c'est vous, ma chérie. Voulez-vous m'épouser ?

— Je commençais sérieusement à me demander si j'aurais mon mot à dire, plaisanta Stéphanie. Oui, je vous épouserai. Quand vous le voudrez.

— Je ne tiens pas à brusquer les choses. Mais que diriez-vous de lundi prochain ?

— Si vite ?

— N'oubliez pas que je vous attends depuis quatre ans.

Stéphanie éclata de rire.

— Très bien.

Il lui passa les bras autour du cou et attira son visage contre le sien. Il l'embrassa tendrement mais, très vite, ses baisers se firent plus pressants et ses mains s'égarèrent sur son corps charmant.

— Neil ! protesta-t-elle en riant. Vous êtes incorrigible !

— Je veux rattraper le temps perdu !

— Mais mon amour ! Vous jouez demain, pensez à votre entraînement !

— Au diable l'entraînement !

Et le baiser qu'il lui donna fut l'éblouissante promesse d'un lumineux bonheur.

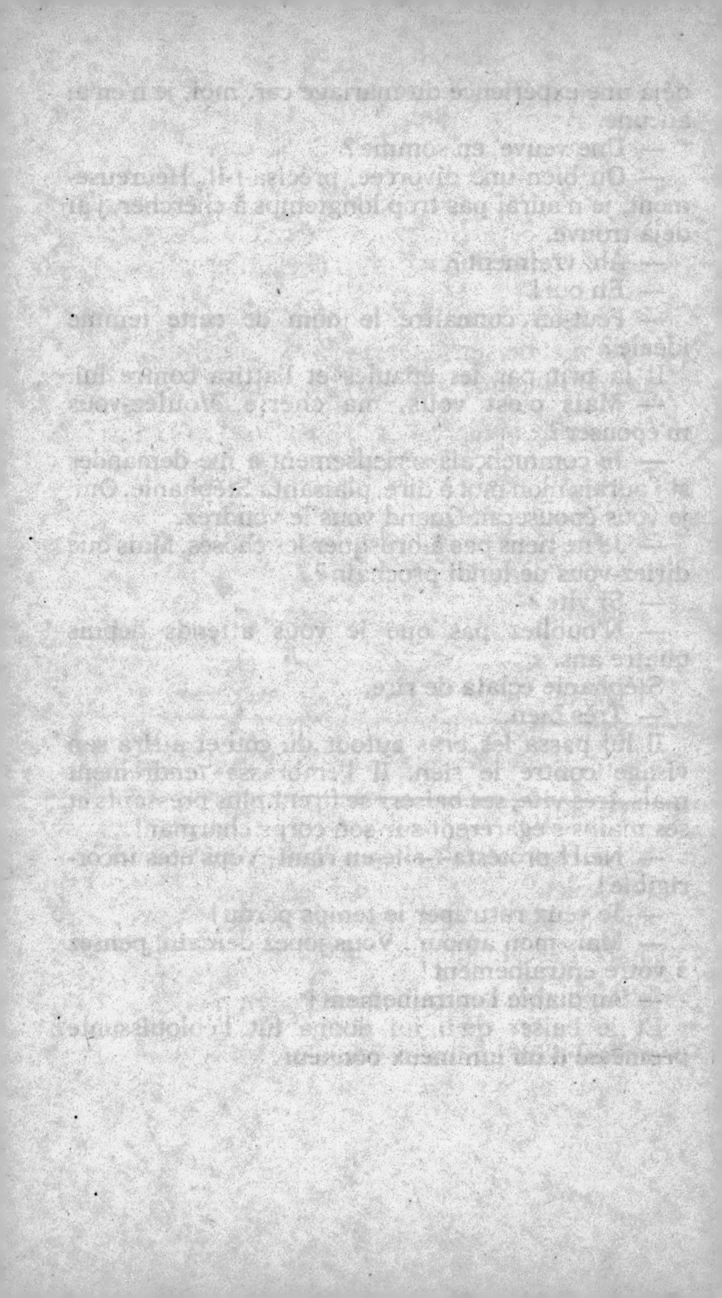

Harmonie n° 65

ELIZABETH LOWELL

La chanson d'Alana

Vertiges

De jour comme de nuit, Alana Reeves, la jolie vedette de la chanson, est prisonnière d'un cauchemar. Six jours de sa vie ont sombré dans l'oubli après une randonnée en montagne qui fut fatale à son mari...

Que faire ? Comment vaincre l'angoisse et le désespoir ? Est-elle définitivement condamnée au douloureux secret de son amnésie ?

Une tendre conspiration se trame autour d'elle. On l'incite à revenir vers cette Montagne Noire qui lui a ravi ses chansons.

Et c'est le beau Rafaël Winter, le seul homme qu'elle ait jamais aimé, qui l'accueille à sa descente d'avion...

Harmonie nº 67

JILLIAN BLAKE

Reflets sur l'Hudson

Deux cœurs, un seul rêve

Deux mondes s'affrontent dès l'instant où Lisa Patton, en tailleur de soie sauvage, pénètre dans le bureau du pédiatre David Corey.

Journaliste de mode, que vient-elle demander au célèbre spécialiste dont le sérieux et la rigueur sont connus de tout New York ? Que peut-il apporter à cette jeune femme dont il remarque l'élégance raffinée sans pour autant oublier la légèreté habituelle de ses articles ?

Mais quelle barrière est infranchissable ? Au-delà des apparences, Lisa et David se prendront-ils au jeu secret de la passion ?

Harmonie n° 68

NORA ROBERTS
Princesse gitane

Vers la liberté

Les yeux gris, la chevelure flamboyante, exigeante et volontaire, Stella Gordon a su faire son chemin. L'enfant mal aimée, démunie, est devenue une réalisatrice de spots publicitaires très en vogue, lorsqu'elle rencontre Bruce Jones, le champion de base-ball.

Dominateur, sûr de lui, menant sa vie comme un match à gagner, Bruce risque de se heurter à la farouche indépendance de la jeune femme.

Pourtant Stella se laisse prendre au charme magique de ce géant des stades...

Quel secret rend possible cette étrange soumission ?

Ce mois-ci

Duo Série Romance

255 **Accord parfait** GINNA GRAY
Le voleur de Taxco BRENDA TRENT
257 **Mon petit chat sauvage** MIA MAXAM
Un avenir pour s'aimer JOAN SMITH

Duo Série Coup de foudre

5 **Le charme du cavalier** NINA COOMBS
6 **Une nuit dans l'île** STEPHANIE RICHARDS
7 **Jamais je ne t'oublierai** JOAN WOLF
8 **Baisers de soie** LESLIE MORGAN

Duo Série Désir

123 **Sous le signe de Vénus** LUCY GORDON
124 **Impossible promesse** ARIEL BERK
125 **Un rivage de feu** HOPE McINTYRE
126 **Tous les parfums du paradis** SUZANNE MICHELLE
127 **Sauvage comme l'amour** JANET JOYCE
128 **Dans la magie de la nuit** DIXIE BROWNING

Duo Série Amo

37 **Terre de rêv**
38 **Plus fort que** LINE TOPAZ
39 **Etrange aven** E
40 **Un chant d'es** NS

Achevé d'imprimer sur les presses de l'Imprimerie Bussière
à Saint-Amand-Montrond (Cher)
le 24 mai 1985. ISBN : 2-277-83066-6. ISSN : 0763-5915
N° 894. Dépôt légal : mai 1985. Imprimé en France

Collections Duo
27, rue Cassette 75006 Paris
diffusion France et étranger : Flammarion